第2次改訂版

新要点演習

地方公務員法

自治体公法研究会編

KOSHOKUKEN 公職研

はじめに

1988年に刊行された「要点演習シリーズ」は、地方自治体の職員や学生などを主な対象として公法の知識の獲得・整理・確認のための解説・演習書、ないし試験対策書として、ご好評をいただき、版を重ね続けてきているが、その間、諸状況の変化、制度改正、読者の方々のニーズ等に対応すべく、何度かリニューアルを行い、内容の充実・発展を図ってきた。現在の新要点演習シリーズ地方公務員法は、近年の地方公務員法の改正を踏まえつつ、2015年に、さらにリニューアルを行って世に送り出されたもので、本書はその第２次改訂版である。

そのシリーズ第２巻で取り上げる「地方公務員法」は、地方公務員の身分の取扱いに関する基本的な事項を定めた法律であり、自治体職員にとって、当然理解しておくべき法律である。このため、地方公務員法は、自治体の昇任昇格試験、公務員試験などで、出題科目ともなっている。ところが、地方公務員法については、使い勝手のよい簡便な解説書・演習書が意外と少ない。

このような状況を踏まえ、地方公務員法を要領よく学ぶことができるとともに、試験対策にも役立つ解説・演習書として企画されたのが本書である。本書は、地方公務員法の重要項目に関する解説と問題演習をセットにしてコンパクトにまとめたものとなっており、次のような工夫をしている。

第１は、各項目の解説については、記述試験対策に役立つことも意識し、主要な論点を要領よく簡潔に解説していることである。

第２は、各項目の問題演習において、その項目の理解度をチェックすることができるとともに、問題の内容・レベル等については、実際の昇任昇格試験、公務員試験などで出題された問題に類似したものとすることで、実戦対応ともなっていることである。

第３は、各項目のポイントをしっかりと押さえ、かつ、発展的に学ぶことができるよう、関連法条とキーワードを示していることである。

第４は、各項目を分野ごとに分けて章立てとした上で、それぞれ最初に総論的な概説を行っていることである。これによって、それぞれの項目の位置づけや関係が明らかとなり、地方公務員法の重要項目を体系的に学ぶことが可能となる。

第５は、各章ごとに、地方公務員法を理解する上で重要性を増している判例をチェックするコーナーを設け、どのような関連判例があるかを確認できるようにしていることである。

以上のような多様な特色をもつものであるだけに、本書の使い方・活用方法もいろいろではないかと思われる。本書が、読者によって十二分に活用され、その知識に磨きがかけられるとともに、試験などでその成果が発揮されることにつながるならば、幸甚である。

2022年３月

自治体公法研究会

新要点演習・地方公務員法《目次》

本書の内容・表記

○本書の内容については、2021年の地方公務員法改正の2023年４月施行部分を含む最新のものとなっているが、公務員制度をめぐっては様々な改革等の動きがあり、その動向にも注意されたい。

○解説中の（　）で示した根拠条文のうち、条項名のみとしているのは地方公務員法の関係条文を示すものであり、地方公務員法以外の法令についてのみ法令名を付した。

○本書において「行実」とは行政実例を指す。

地方公務員に関する主要な法律

○地方公務員法

○地方公共団体の一般職の任期付職員の採用に関する法律

○地方公共団体の一般職の任期付研究員の採用等に関する法律

○外国の地方公共団体の機関等に派遣される一般職の地方公務員の処遇等に関する法律

○公益法人等への一般職の地方公務員の派遣等に関する法律

○労働基準法

○地方公務員の育児休業等に関する法律

○地方公務員等共済組合法

○地方公務員災害補償法

○職員団体等に対する法人格の付与に関する法律

○教育公務員特例法

○地方独立行政法人法第５章

○地方公営企業法第４章

○地方公営企業等の労働関係に関する法律

第1章

地方公務員制度

・（概観）
・地方公務員法の目的
・地方公務員の意義・一般職と特別職
・一般職の職員に関する法制度
・人事行政に関する条例
・任命権者
・人事委員会・公平委員会
・平等取扱いの原則
・人事評価
・研修

・判例チェック

（概観）

1　公務員法制定の経緯・意義

日本国憲法下における公務員制度は、近代的公務員制度を基礎としており、公務員は全体の奉仕者として位置づけられるとともに、憲法28条により労働者としての権利を保障されている。明治憲法下において、公勤務者は、主権者である天皇の使用人として位置づけられ、主権者に対して無定量の義務を負うものとされ、私生活と職務の分化が不明確であったのとは対照的である。地方公務員法は、国家公務員法と同様に、こうした日本国憲法下における公務員制度の理念に基づき、地方公共団体の行政の民主的かつ能率的な運営を保障することを目的として制定されたものである。なお、1947年に制定された国家公務員法と1950年に制定された地方公務員法とは、細かな点では違いがあるものの、基本的に同じような考え方に立っており、実際の法解釈に当たっても、両者が互いに影響を及ぼすことが多い。

2　公務員の全体の奉仕者性

明治憲法下において公勤務者の使用者は、天皇であるとされていたが、日本国憲法下における公務員制度では、公務員は国民・住民の信託に基づいて行政を担当する政府・地方公共団体により任命されることとなっている。そして、公務員の使用者は、実質的には国民あるいは住民全体であるとされ、公務員は、国民・住民全体に対して職務提供義務を負う。これが公務員が全体の奉仕者（憲法15条2項）として位置づけられることの具体的な意味である。公務員の全体の奉仕者性により、公務員には政治的中立が求められるなど、基本的人権について一般の国民と異なる制限を受ける反面、その時々の政治的意向により職務の遂行が左右されることのないよう、強い身分保障が与えられている。

3　公務員の労働者性

明治憲法下において、公勤務者は、天皇に対して無定量の義務を負うとされていたのに対し、日本国憲法下においては、公務員も、自己の勤務を提供することにより給与、報酬等を得て生活する者であることから、憲法28条に規定する「勤労者」であることが認められ、同条の規定する労働基本権が保障される。しかし、公務員が、全体の奉仕者としての地位を有しており、公共のために勤務する者であることから、その労働基本権は、一定の制約を受ける。具体的には、全体の奉仕者たる公務員は、使用者との合意によって給与その他の勤務条件を決定するという立場になじまないとの考えから、非現業の公務員を中心として、労働基本権の中核ともいえる団体交渉権が制限され、公務員の勤務条件は、国民・住民の代表たる国会又は地方議会の定める法律・条例に定めるところによるという勤務条件法定主義が取り入れられている。また、団結権も一定の制約を受けているほか、団体行動権（争議権）の行使は全面的に禁止されている。

労働基本権が制約される一方で、その代償措置として、地方公務員については人事委員会・公平委員会、国家公務員については人事院という中立的・第三者的な人事行政機関が設けられ、勤務条件の決定、公務員の身分保障などに関する事務をつかさどることとされている。このように公務員の人事管理が任命権者と中立的・第三者的機関である人事委員会・公平委員会及び人事院により二元的に行われていることも、現在の公務員制度の大きな特徴の１つである。

4　成績主義

近代的公務員制度においては、行政の民主的かつ能率的な運営を確保するため、職員の任用は、能力の実証のみに基づいて行うという成績主義を基本原則としている。成績主義の詳細については、32〜33ページで改めて説明する。

5　能力及び実績に基づく人事管理

地方公共団体においては、高度化・多様化する住民ニーズに的確に対応していくため、個々の職員について困難な課題を解決する能力と高い業績を上げることが従来以上に求められており、そうした能力や業績に基づく人事管理の必要性が高まってきている。しかし、これまでの勤務評定では、評価項目が不明瞭であらかじめ明示されていない、評価結果が部下に知らされない、人事管理に活用されていないなどの課題も指摘されていた。新たな人事評価制度では、能力と業績を両面から評価することで人事管理の基礎とするとともに、評価基準の明示、評価結果への本人への開示などの仕組みが設けられ、能力本位の人事管理が行われることとなった。

地方公務員法の目的

地方公務員法1条では、地方公務員法の目的が、地方公務員の人事行政に関する根本基準を確立することにより、地方公共団体の行政の民主的かつ能率的な運営及び特定地方独立行政法人の事務事業の確実な実施を保障し、もって地方自治の本旨の実現に資することである旨規定されている。

地方公共団体の行政の民主的な運営とは、専ら住民のために行政が行われることをいうものであり、地方公務員には全体の奉仕者として地位と責任を全うすることが求められる。地方公務員法は、こうした観点から、適切な人材の任用・人事評価をはじめ、服務規律の維持、勤務条件の適正な管理と地方公務員としての権利の保障等各般の措置を講じている。

「地方公共団体の行政の能率的な運営」とは、地方公共団体のあらゆる資源の効率化を求めるものであるが、地方公務員制度においては、人事管理を適正化することであり、地方公務員の能力の十分な発揮を可能にすることにより、行政の能率の向上を求めることが要請される。地方公務員法は、適切な任用により人材を登用しこれを適切な人事評価により適材適所に配置すること、適正な勤務条件を保障することにより安心して職務に専念させること、厳正な服務規律により秩序正しく職務を遂行させることなどを定めている。

「地方自治の本旨」は、「団体自治」と「住民自治」から成ると解されている。「団体自治」とは地方公共団体が主体的、自律的に決定する権限を有し、自らの機関によってこの権限を行使することをいい、「住民自治」とは地方公共団体の意思決定及びその遂行が住民によって行われることをいう。地方自治の本旨との関係でいえば、地方公務員法は、地方公共団体の組織の運営の人的側面を規律するものであり、地方自治の本旨のうち特に「団体自治」の原則を人事管理の面から支えるものであると考えてよいであろう。地方公務員制度を理解するに当たっては、地方公共団体の人事行政の民主的な運営と地方公共団体の行政の能率的な運営という地方公務員法が掲げる2つの目的を十分に理解する必要がある。具体的な問題について検討するに当たり、これら2つの目的が常に軌を一にするとは限らないのが実際であるが、このような場合でも、両者のバランスがとれるよう、配慮しなければならない。

■関係法条／憲法15条２項、28条、92条　地方公務員法１条

◉キーワード／近代的地方公務員制度　全体の奉仕者　地方公共団体の行政の民主的かつ能率的な運営　地方自治の本旨

【問題】地方公務員制度に関する次の記述のうち、妥当なものはどれか。

❶　地方公務員法は、公務員を全体の奉仕者として位置づけており、したがって、公務員について、一般の国民よりも基本的人権を強く保障されることとなっている。

❷　地方公務員法は、地方公共団体の行政の民主的な運営により、地方公共団体の能率的な運営が実現されることをその目的としている。

❸　憲法92条に定める地方自治の本旨は、地方公共団体の組織・事務を定める地方自治法において具体化されているものであるが、地方公務員法も、地方自治の本旨の実現をその目的として掲げている。

❹　地方公共団体の行政の能率的な運営は、地方公共団体のあらゆる資源の効率化を求めるものであるため、理論的には、公務員に対し適正な勤務条件を保障するという理念と相反するものと位置づけられる。

❺　地方公務員法の基礎となっている近代的公務員制度の考え方は、我が国の人事行政の近代化を図ることを目的として、明治憲法の下で取り入れられ、日本国憲法下でも引き継がれたものである。

解説

❶　誤り。公務員は、強い身分保障を受けるが、一般の国民よりも強くその人権を保障するという趣旨から認められているものではない。

❷　誤り。行政の民主的な運営は、行政の能率的な運営を実現するための手段として位置づけられているわけではない。

❸　正しい。設問のとおり。

❹　誤り。理論的には、公務員に対する適正な勤務条件の保障は、職員が安んじて職務に専念できるようにすることにより、地方公共団体の行政の能率的な運営を実現するものとして位置づけられている。

❺　誤り。日本国憲法の下において取り入れられたものである。

【正解　❸】

地方公務員の意義・一般職と特別職

1　地方公務員の意義

地方公務員とは、地方公共団体のすべての公務員をいい（2条1項）、地方公務員の職は地方自治法をはじめとする地方公共団体の組織について定める法律に規定されている。地方公共団体の事務に関係する者が地方公務員であるかどうかは、それに加えて、①従事している事務が地方公共団体の事務といいうるか、②地方公共団体の機関による任命行為があったか、③地方公共団体から勤務の対価や費用弁償の支払を得ているかの3つの要素から判断されることが普通である。また、特定地方独立行政法人の職員及び役員については、明文の規定により、地方公務員であることが規定されている（地方独立行政法人法47条）。

2　一般職と特別職

地方公務員の区分の1つに一般職と特別職がある。一般職とは、地方公務員法の適用を受ける職であり、他方、特別職とは、その職務、任命方法、身分保障等に特殊性があるために、原則として地方公務員法を適用しないこととされる職である。地方公務員法の適用の有無によりあらわれる具体的な取扱いの違いのうち主要なものとしては、①成績主義の適用の有無と、②定年制の適用の有無等が挙げられる。

地方公務員法は、地方公務員制度の根本基準であり、これを広く適用させることが地方公共団体の行政の民主的かつ能率的な運用にとって望ましい。そこで、地方公務員法3条3項は、地方公務員法の適用を受けない特別職を限定的に列挙することとし、それら以外の一切の職を一般職とする（同条2項）ことにより、地方公務員法を可能な限り広く適用させることとしている。特別職の地方公務員は、次の表のとおりである。

特別職の類型	職の例
就任に選挙や議会の同意を要する職	知事、市町村長、副知事、副市町村長、監査委員、人事委員会又は公平委員会の委員等
非専務職	審議会の委員、臨時又は非常勤の顧問、参与、嘱託員等（専門的な知識経験又は識見を有する者に限る）、投票管理者、選挙長等、非常勤の消防団員及び水防団員
自由任用職	地方公営企業の管理者及び企業団の企業長、地方独立行政法人の理事長、地方公共団体の長等の秘書で条例で指定する者

■関係法条／地方公務員法２条～４条　地方独立行政法人法47条
◉キーワード／地方公務員　一般職　特別職

【問題】特別職・一般職に関する次の記述のうち、妥当なものはどれか。

❶　すべての地方公務員の職は一般職と特別職に分けられるのが原則であるが、例外として、外国人であって地方公共団体に直接雇用されるものの職があり、当該職については地方公務員法が適用されず、公法上の契約によることとされている。
❷　地方公務員法では、議会の職員及び非常勤の顧問・参与は一般職であり、他方で国家公務員では国会職員及び非常勤の顧問・参与は特別職とされているが、これらの違いは立法政策上のものであり、理論上の違いはないとされている。
❸　特別職の範囲は地方公務員法上に限定列記されているが、地域の実情に鑑み必要と認めるときには、人事委員会又は公平委員会の意見を聴いた上で、条例により特別職を創設し、又は廃止することができる旨の明文の規定が設けられている。
❹　地方公営企業の管理者及び特定地方独立行政法人の役員は、管理者又は役員の責任体制を確立するとの見地から、特別職に分類されているが、地方公営企業及び特定地方独立行政法人の職員は、いずれも一般職の地方公務員である。
❺　地方公共団体の長、地方議会の議長などの秘書で条例で指定するものは特別職であるが、一般職の職員がこれらの秘書となる場合には、身分保障が及ばなくなることによる不利益等に考慮し、一般職の身分を有したまま特別職の秘書となることができる。

解説

❶　誤り。地方公務員法には、外国人に対する特別の規定はない（なお、国家公務員については、国家公務員法２条６・７項参照）。
❷　誤り。非常勤の顧問・参与については、地方公務員では特別職とされ、国家公務員では一般職とされている。
❸　誤り。特別職の範囲は３条３項各号に限定列記されており、設問にあるように、条例で特別職を創設すること等を可能とする規定は設けられていない。
❹　正しい（３条３項）。
❺　誤り。一般職の職員を特別職の秘書とするためには、当該職員はいったん退職する必要がある。

【正解　❹】

一般職の職員に関する法制度

1　地方公務員法の適用の原則

地方公務員は、職員の地位の特殊性・その業務の公共性から、その勤務条件・労働関係は地方公務員法などの法律又は条例により決定され、これらを一般職の職員すべてについて適用することが原則である。しかし、その職務と責任について特殊性があり、地方公務員共通の身分取扱いの基準によることが適当ではない職については、それぞれに関する特例によることとされる（57条）。以下の2～4の職員について特例が設けられている。

2　地方公営企業・特定地方独立行政法人の職員、単純労務職員

地方公務員の中でも、その職務内容が民間企業のそれに類似している地方公営企業・特定地方独立行政法人の職員については、できる限り民間の労働者に近い取扱いをすることが適当である。そのため、これらの職員については、地方公営企業法、地方独立行政法人法及び地方公営企業等の労働関係に関する法律において、勤務条件・労働関係を中心とした特例が規定されている。また、守衛、清掃職員、電話交換職員等の単純な労務に雇用される職員であって技術者、監督者及び行政事務を担当する者以外の者（単純労務職員）については、その労働関係その他身分取扱いに関し特別の法律が制定施行されるまでの間は、地方公営企業等の職員と同様に取り扱うこととされている(地方公営企業等の労働関係に関する法律附則5項)。

3　教育公務員

教育を通じて国民全体に奉仕するという点で職務と責任に特殊性があること、市町村立学校職員給与負担法に基づいて都道府県が給与を負担する市町村立学校の教職員（県費負担教職員）が存在することから、教育公務員特例法、地方教育行政の組織及び運営に関する法律等に特例が定められ、又は条例において特段の定めをすることとされている。2の職員と異なり、服務に関する特例も定められていることが特徴の1つである。

4　警察職員・消防職員

国民の生命財産を守るという職務の特殊性から、労働基本権を全面的に否定され、地方公務員法上の職員団体の組織・加入も禁止されている。また、職務の特殊性、全国的統一を図る必要性から警察法、消防組織法等に服務、任用、階級等に関する特例が設けられている。

■関係法条／地方公務員法４条１項、57条　地方公営企業法39条　地方独立行政法人法51～53条　地方公営企業等の労働関係に関する法律附則５項　教育公務員特例法　地方教育行政の組織及び運営に関する法律37条～47条の４　警察法55条、56条　消防組織法15条、16条

◉キーワード／地方公営企業　特定地方独立行政法人　単純労務職員　教育公務員　県費負担教職員　警察職員・消防職員

【問題】職員に関する法制度に関する次の記述のうち、妥当なものはどれか。

❶　地方公営企業及び特定地方独立行政法人の職員には、地方公営企業労働関係法が適用されるため、争議行為が禁止されていない。

❷　一般職の職員には、原則として労働基準法が適用されるため、すべての職員の勤務時間は、１週間について40時間を超えてはならない。

❸　一般職の職員には、原則として地方公務員法が適用されるが、例外的に、同法の規定の一部の適用がない職種の職員がある。

❹　一般職の職員には、労働組合法の適用がなく、すべての職員が労働組合を組織し、又はこれに加入することはできない代わりに、地方公務員法に基づき職員団体を結成することが認められている。

❺　一般職の職員については、すべての職員に対し、地方公務員法のすべての規定が一律に適用される。

解説

❶　誤り。職員はすべて争議行為が禁止されており、例外はない。

❷　誤り。交替制の職務等への変形労働時間制の適用など、１週間の労働時間が40時間を超えることも認められる（労働基準法32条の２）。

❸　正しい。設問のとおり（例えば地方公営企業法39条等）。

❹　誤り。地方公営企業・特定地方独立行政法人の職員及び単純労務職員は、労働組合を組織し、又はこれに加入することができる。

❺　誤り。一般職の職員のうち、その職務などに特殊性がある職にある職員については、地方公務員法の特例が設けられている。　【正解　❸】

人事行政に関する条例

1　人事行政と地方自治

地方公共団体における人事管理は、直接的には任命権者によって行われるものであるが、任命権者は地方公共団体の機関であり、人事管理の究極の主体は地方公共団体の住民全体である。したがって、任命権者が人事行政を行うについては、住民の意思に基づかなければならない。このため、地方公務員法の根本基準を具体化するに当たっては、条例によって基本的な事項を定めることとされている（5条1項）。

2　人事行政に関する条例と地方公務員法の関係

地方公共団体は、法律に特別の定めがある場合を除くほか、地方公務員法で定める根本基準に従い、条例で、職員に関する事項について必要な事項を定めるものとされる（5条1項本文)。「法律に特別の定がある場合」としては、法律が直接職員に関する事項を定めている場合、法律が条例以外の法形式で定めるべき事項を定めている場合を意味する。前者については、人事委員会及び公平委員会の権限や組織、分限及び懲戒等がある。後者については、任命の方法などについて人事委員会又は公平委員会が定めること等がある。また、人事行政に関する条例については、地方公務員法の精神に反するものであってはならないが（同項ただし書)、その規定の趣旨は、地方公務員法が、同法をはじめとする各種の法令に基づく人事行政に関する条例の基本法であると同時に、人事行政の根本基準を定める法規であり、各地方公共団体が、この基準に準拠しながら、自主的かつ弾力的に、人事行政に関する条例を定めるべきことにあるといえる。

3　人事行政に関する条例と人事行政の専門機関との関係

地方公共団体における人事機関としては、任命権者と人事委員会がある。人事委員会は、人事行政の専門機関として人事行政に関する条例の制定改廃に際して、その条例を審議する議会で意見を述べる（5条2項)。このようにして、人事行政について住民の代表である議会の議決による条例で定めることとして地方公共団体の人事行政を民主的に統制するとともに、他方で、人事行政の専門性に鑑み、専門機関がチェックすることとしてその専門的行政の水準を確保することとしている。

■関係法条／地方公務員法５条

◉キーワード／人事行政　根本基準　任命権者　人事委員会

【問題】人事行政に関する条例に関する次の記述のうち、妥当なものはどれか。

❶　人事委員会又は公平委員会は、人事行政に関する条例の制定改廃に際して、その条例を審議する議会で意見を述べることとされている。

❷　地方公共団体は、条例で職員に関する事項について定めるに当たっては、国家公務員法及び地方公務員法の定める根本基準に従って行わなければならないこととされている。

❸　企業職員や単純労務職員については、民間企業と同様の取扱いとなるため、人事行政に関する事項について条例を定める必要は全くない。

❹　人事行政に関する事項について、条例において細部を人事委員会規則や任命権者の定める規則等に委ねることは、地方公務員法５条の規定に違反するため、許されないと解される。

❺　地方公務員法５条は、人事行政に関する基本的な事項は条例に基づかなければならないという原則を示したものであるが、懲戒処分を行う場合の基準など任命権者の固有の権限に属する事項については、任命権者がその規則、訓令等の適宜の方式で定めることは可能である。

解説

❶　誤り。人事委員会についての記述は正しい（５条２項）。公平委員会については、このような規定はない。

❷　誤り。「国家公務員法の定める根本基準に従って」という記述はない。

❸　誤り。企業職員及び単純労務職員については、地方公営企業等の労働関係に関する法律等で本条の規定は適用除外となっているが、給与に関する事項を条例で定めるなどの規定も置かれている（地方公営企業法38条４項、39条１項、地方公営企業等の労働関係に関する法律17条１項）。

❹　誤り。条例において細部を人事委員会規則や任命権者の定める規則等に委任することも可能である。

❺　正しい。条例に基づく必要があるのは人事行政に関する基本的な事項である。

【正解　❺】

任命権者

任命権者とは、職員の任命、人事評価をはじめ、休職、免職及び懲戒等の人事権を職員に対し直接行使する機関をいう（6条1項)。職員の任命権は、法令の定めるところにより地方公共団体の長、議会の議長、各種委員会等に与えられている。任命権者と各任命権者によって任命される職員との関係のうち主要なものは、次のとおりである。

任命権者	任命される職員
地方公共団体の長	知事・市町村長に属する部局の職員
議会の議長	議会事務局の職員
選挙管理委員会・代表監査委員・教育委員会・人事委員会・公平委員会など	各委員会又は委員の事務局の職員
警視総監及び道府県警察本部長	地方公務員である警察職員（警視以下の階級にある警察官、その他所要の職員）
消防長	消防職員
地方公営企業の管理者	地方公営企業の職員
特定地方独立行政法人の理事長	特定地方独立行政法人の職員

地方公共団体の長は、組織及び運営の合理化を図り、相互に均衡を保持するため、執行機関である任命権者に対しては、人事行政に関する勧告、協議により総合調整を行うことができる（地方自治法180条の4)。一方、執行機関ではない任命権者についてはこのような規定がないが、例えば、地方公営企業の管理者については、他の地方公共団体の機関の権限に属する事務の執行と地方公営企業の業務の執行との間の調整を図るため必要があるときは、地方公共団体の長が地方公営企業の管理者に対し地方公営企業の業務の執行について必要な指示をすることができることを規定する地方公営企業法16条の規定により人事行政の統合調整を図っていくことになる。

事務の効率化、簡素化のため、任命権者は、任命権の一部を補助機関である上級の地方公務員に委任することができる（6条2項)。受任者は、委任が行われた限りにおいて、自らの名義で委任された任命権を行使することとなり、委任者の権限は受任者に移転する。なお、受任者が任命権を再委任することは、法律に別段の定めがある場合を除き、できない。

■関係法条／地方公務員法６条、12条７項　地方自治法138条５項、180条の４、200条５項　地方教育行政の組織及び運営に関する法律19条７項　警察法55条３項　消防組織法15条１項　地方独立行政法人法20条

◉キーワード／任命　任命権者の分立　任命権の委任

【問題】任命権者に関する次の記述のうち、妥当なものはどれか。

❶　任命権者は、地方公共団体においては、当該地方公共団体の長及び当該地方公共団体に執行機関として置かれる委員会又は委員に限られる。

❷　任命権者は、職員の任命や人事評価を行う権限を委任することができるが、職員の休職、免職及び懲戒を行う権限については委任することができない。

❸　任命権者から任命権の一部の委任を受けることのできる者は、当該任命権者の補助機関である上級の地方公務員に限られる。

❹　任命権者から任命権の一部の委任を受けた地方公務員は、任意に、その任命権をさらに他の者に委任することができる。

❺　任命権者から任命権の一部の委任を受けた地方公務員は、委任者の名義と責任において、その権限を行使する。

解説

❶　誤り。任命権者は、当該地方公共団体の長及び当該地方公共団体の執行機関として置かれる委員会又は委員に限られず、議決機関である議会の議長なども任命権者である。

❷　誤り。任命権者は、任命権のみならず、職員の休職、免職及び懲戒を行う権限を委任することができる。

❸　正しい（６条２項）。

❹　誤り。任命権の委任を受けた地方公務員は、その任命権をさらに他の者に委任することはできない（昭和27年１月25日行実）。

❺　誤り。任命権者から委任を受けた地方公務員は、受任者の名と責任において、その権限を行使する。

【正解　❸】

人事委員会・公平委員会

1　設置

人事委員会は、都道府県及び政令指定都市においては必置とされており、それ以外の市で人口15万以上のもの及び特別区においても条例を定めて任意での設置が認められる。人事委員会を置かない市若しくは特別区、町村又は地方公共団体の組合は、公平委員会を置かなければならない（7条）。

2　権限

人事委員会の権限は、その性格から次のように区分することができる。

⑴**準立法的権限**　人事委員会規則の制定（8条5項）

⑵**準司法的権限**　①勤務条件に関する措置の要求の審査・判定（8条1項9号）、②不利益処分に関する審査請求の裁決（同項10号）等

⑶**行政的権限**　①人事行政に関する調査・研究等（8条1項1・2号）、②条例に関する意見の申立て（同項3号）、③人事行政の運営に関する任命権者への勧告（同項4号）、④勤務条件に関する地方公共団体の議会・長への勧告（同項5号）、⑤競争試験・選考の実施（同項6号）、⑥職員からの苦情の処理（同項11号）、⑦給料表に関する報告・勧告（26条）、⑧職員団体の登録（53条）等

公平委員会の権限は、⑵は同じであるが、⑶は⑥・⑧に関するものに限られており、⑴はこれらの権限に関する規則の制定権に限られている。⑶⑤は、条例に定めを置けば、公平委員会が競争試験・選考を行うことができる（「競争試験等を行う公平委員会」　9条1項）。

人事委員会の権限の一部については、他の機関又は人事委員会の事務局長へ委任できる（8条3項）。また、人事委員会・公平委員会は、⑶⑥の事務を委員又は事務局長に委任することができる（8条4項）。

3　委員

人事委員会・公平委員会の委員は3人で、議会の同意を得て選任され、任期は4年である。人事委員会の委員は常勤又は非常勤、公平委員会の委員は非常勤である（9条の2）。委員会は3人の委員が出席して開くことを原則とし、過半数で議事を決する（11条）。人事委員会には事務局が置かれる。公平委員会には事務職員のみが置かれるが、競争試験等を行う公平委員会には事務局を置くことができる（12条）。

■関係法条／地方公務員法７～12条、26条、50条２項、53条
◉キーワード／人事機関　第三者機関　専門性　中立性　準立法的権限　準司法的権限　行政的権限

【問題】人事委員会・公平委員会に関する次の記述のうち、妥当なものはどれか。

❶　人事委員会の設置についての必要な事項は、条例で定めるのに対して、公平委員会の設置についての必要な事項は、規則で定めるものとされている。

❷　人事委員会及び公平委員会の委員は、議会で選挙する。

❸　人事委員及び公平委員の選任に当たっては、委員の政党所属関係を考慮する必要はあるが、同一政党に所属する者が２人以上となっても構わない。

❹　都道府県及び指定都市は、人事委員会を設置しなければならないのに対し、指定都市以外の市で人口15万以上のもの及び特別区は、人事委員会の設置は任意だが、人事委員会を置かない場合には公平委員会の設置が義務付けられる。

❺　人事委員会と公平委員会の行う事務の種類は、給与、勤務時間その他の勤務条件に関し講ずべき措置の議会及び長への勧告に関する権限が人事委員会だけに認められている以外は、同じである。

解説

❶　誤り。両者とも条例で定める（５条１項）。

❷　誤り。地方公共団体の長が議会の同意を得て選任する（９条２項）。

❸　誤り。特定政党の強い影響を受けることを避けるため、委員の選任について、同一政党に所属する者が２人以上になってはならず、そうした事態になった場合には、そのうち１人を罷免する、としている（９条４・５項）。

❹　正しい（７条）。

❺　誤り。それ以外にも、公平委員会と比べ、人事委員会の権限・事務として定められている事項・種類は多い（８条１・２項）。　【正解　❹】

平等取扱いの原則

地方公務員法13条は、同法の適用について、すべての国民が平等に取り扱われなければならず、人種、信条、性別、社会的身分、門地によって、又は16条4号に規定する場合を除くほか、政治的意見若しくは政治的所属関係によって差別されてはならないことを規定している。これを平等取扱いの原則という。平等取扱いの原則は、憲法14条1項に規定する法の下の平等を地方公務員法において具体化したものである。

国籍による差別については、本条ではなく均等待遇について定める労働基準法3条によるが、適用されるのは採用後に限られ、採用そのものには適用されない。公権力の行使や地方公共団体の重要な施策に関する決定・参画を職務とする地方公務員に外国人を任用することの是非は本条の問題ではない。

条文に規定されている人種、信条、性別といった事項は、例示と解されている。したがって、これら以外の事項による差別であっても、不合理な差別は、平等取扱いの原則に反することになる。なお、性別に関しては、女性に対して男性と異なる定年年齢を設けたり、男性と女性とで昇任・昇給に差を設けることは、平等取扱いの原則に反するものであるが、女性のみに出産休暇や生理休暇を与えるといった、男女の身体的・社会的な相違に基づく男女での異なる取扱いは、一般的には平等取扱いの原則に反するものとは解されない。

平等取扱いの原則は、任用、勤務条件、身分保障、服務といった地方公務員制度におけるあらゆる事項に適用されるものであり、後出の情勢適応の原則、均衡の原則、条例主義といった任用、勤務条件等に関する諸原則とは、その位置づけが異なることに注意する必要がある。また、地方公務員法は、「この法律の適用について」差別的取扱いをすることを禁止しているが、地方公務員法の特例を規定する法律（57条）や地方公務員法に基づく条例などの適用における差別的取扱いも、平等取扱いの原則に違反するものになると解されている。

平等取扱いの原則に違反した者は、1年以下の懲役又は50万円以下の罰金に処せられる（60条1号）。平等取扱いの原則に違反して差別された職員は、審査請求や措置要求をすることができる。

■関係法条／憲法14条１項　地方公務員法13条、60条１号

◉キーワード／地方公務員法の根本原則　法の下の平等　差別的取扱いの禁止

【問題】平等取扱いの原則に関する次の記述のうち、妥当でないものはどれか。

❶　我が国の雇用慣行を理由として、職員に関し男女間で異なる定年年齢を設けることは、平等取扱いの原則に反すると解される。

❷　地方公務員法においては、職員の勤務条件に関する原則として、平等取扱いの原則が定められている。

❸　地方公務員法13条は、地方公務員法の適用につきすべての国民を平等に取り扱う旨規定しているが、地方公務員法の委任に基づき制定された条例の適用についても、同様に平等取扱いの原則が適用されると解されるべきである。

❹　地方公務員法に定める平等取扱いの原則は、地方公務員に関する根本的な原則であるが、特別職である職については、適用されない。

❺　地方公共団体の長と異なる政治的立場に立つことを理由として、一般職の職員として採用しないことは、平等取扱いの原則に反する。

解説

❶　正しい。設問の例は、男女間での合理的な区別とは認められない。

❷　誤り。平等取扱いの原則は、地方公務員法の適用全体に関する原則として定められているものであり、勤務条件のみに関する原則ではない。

❸　正しい。設問のとおり。

❹　正しい。平等取扱いの原則を定める地方公務員法13条についても、特別職である職について適用されるものとは規定されていない。例えば、副知事や副市町村長などの職は、政治的任用職であり、平等取扱いの原則を適用することになじまないといえる。

❺　正しい。一般職の職員の採用に当たり政治的意見により差別することは、平等取扱いの原則に反する。ただし、16条４号の欠格条項に注意。

【正解　❷】

人事評価

1　人事評価の意義

人事評価とは、任用、給与、分限その他の人事管理の基礎とするために、職員がその職務を遂行するに当たり発揮した能力及び挙げた業績を把握した上で行われる勤務成績の評価をいい、能力評価と業績評価の両面から人事評価を行うものである。能力評価については、職員の職務上の行動等を通じて、顕在化した能力を把握して行うもので、例えば、企画立案や専門知識、協調性、判断力等の能力を十分に発揮しているかどうかなどの評価を行う。また、業績評価については、職員が果たすべき職務をどの程度達成したかを把握して、挙げた業績を評価するものであり、例えば、担当職務に関し、具体的な業務の目標、課題を設定し、それを当初に設定したものが、期末において、どのように達成したかで評価する仕組みである。

人事評価と勤務評定については、任命権者が職員の執務の状況について定期的に評価を実施する等の基本的な性質は同様であるが、従前の勤務評定については、評価項目が不明瞭である、あらかじめ明示をされていない、上司から一方的に評価されるのみで評価結果は部下に知らされない、人事管理に十分活用されていないなどの問題点が指摘されていた。また、透明性の確保等においても課題があった。これに対し、人事評価は、評価の観点としての能力評価と業績評価の両面から評価し、人事管理の基礎とすることとし、評価基準の明示や評価結果の本人への開示などの仕組みを想定しており、従来の勤務評定と比べ、能力・実績主義を実現するためのツールとして、客観性・透明性をより高めたものになっている。人事評価制度の導入により、能力本位の人事管理が行われ、一層の公務能率の向上が図られるようになるものと考えられる。

2　人事評価の実施

職員の人事評価は、公正に行われなければならず、任命権者は、人事評価を任用、給与、分限その他の人事管理の基礎として活用する（23条）。

職員の執務については、その任命権者は、定期的に人事評価を行わなければならず（23条の２第１項）、任命権者は、人事評価の結果に応じた措置を講じなければならない（23条の３）。また、人事委員会は、人事評価の実施に関し任命権者に勧告することができる（23条の４）。

■関係法条／地方公務員法23条～23条の４
◉キーワード／人事評価　能力評価　業績評価

【問題】人事評価に関する次の記述のうち、妥当なものはどれか。

❶　職員の人事評価は公正に行う必要があるため、任命権者が人事評価を行うに当たっては人事委員会又は公平委員会と協議して行わなければならず、また、任命権者は人事評価を人事管理の基礎として活用することができるが、活用しないことも可能である。
❷　任命権者は、職員の執務について定期的に人事評価を行わなければならず、また、人事評価の結果に応じた措置を講じなければならない。
❸　人事評価の基準及び方法に関する事項その他人事評価に関し必要な事項は、任命権者が定めることができるが、その際には、人事委員会又は公平委員会に協議しなければならない。
❹　人事委員会又は公平委員会は、人事評価の実施に関して必要があると認めるときは、任命権者に勧告し、又は指示することができる。
❺　人事評価は能力評価と業績評価の両面から行うが、能力評価とは職員が果たすべき職務をどの程度達成したかを把握して行い、業績評価とは職員の職務上の行動等を通じて顕在化した能力を把握して行う。

解説

❶　誤り。任命権者の人事評価に当たって人事委員会等との協議は要しない。また、任命権者は人事評価を人事管理の基礎として活用しなければならない（23条）。
❷　正しい（23条の２第１項、23条の３）。
❸　誤り。人事委員会又は公平委員会との協議は定められていない（23条の２第２項）。
❹　誤り。任命権者に対する指示はできない。また、公平委員会には、勧告の権限はない（23条の４）。
❺　誤り。能力評価とは、職員の職務上の行動等を通じて顕在化した能力を把握して行うものであり、業績評価とは、職員が果たすべき職務をどの程度達成したかを把握して、挙げた業績を評価するものである。

【正解　❷】

研修

「研修」とは、職員の勤務能率の発揮及び増進を目的として、職務上必要とされる知識、技術等を修得させるために、地方公共団体が行う教育又は訓練をいう。

地方公共団体の行政は、限られた財源を有効に活用するために、行政の能率的運営が保障される必要がある。そのためには、能力主義に基づいた職員の任用・配置を行うとともに、職員の能力を開発し、向上させていくことが重要である。そこで、地方公務員法は、職員には、自己の能力を開発し、発展させることができるように、研修を受ける機会が与えられなければならないとした上で、地方公共団体は、研修の目標、研修に関する計画の指針となるべき事項その他研修に関する基本的な方針を定めることとしている。また、人事委員会を置く地方公共団体では、人事委員会に、研修に関する計画の立案その他研修の方法について任命権者に勧告する権限を与えている（39条）。

研修の実施の責務は、任命権者にある。任命権者が他の機関に委託して研修を行った場合や特定の研修機関への入所を命じた場合等も、任命権者が研修を行ったことになると解されており、必ずしも任命権者自身が研修を主催しなければならないものではない。研修の方法は、日常の職務を通じて実務的な研修が行われる職場研修（On the Job Training）と日常の職務を離れ研修機関等で行われる職場外研修（Off the Job Training）とに分けられる。

研修に参加する者の身分の取扱いについては、研修の内容と職務に対する位置づけに応じて、①職務命令によって、職務の一環として研修に参加させる方法、②職務専念義務を免除して研修に参加させる方法、③職員を休職処分として研修に参加させる方法がある。研修を行うことは任命権者の責務である以上、できる限り職員の便宜を図ってその身分を取り扱うことが適切である。なお、②・③の方法による研修にあっては、研修に当たり、職務専念義務を免除し又は休職処分とする旨が条例に規定されている必要がある。なお、教育職員の研修については、その職責の特殊性にかんがみて、研修の実施につき、より具体的な規定（初任者研修、中堅教諭等資質向上研修などの実施）が設けられている（教育公務員特例法）。

■関係法条／地方公務員法39条　教育公務員特例法４章
◉キーワード／行政の能率的運営　職場研修　職場外研修

【問題】職員の研修に関する次の記述のうち、妥当なものはどれか。

❶　地方公務員法では、研修に参加する者の身分の取扱いについて制限を設けておらず、条例の定めに基づいて、職務命令による方法だけでなく、職員を休職として行うことも可能である。

❷　地方公務員法では、研修は職員の勤務能率の発揮及び増進を目的とするとされているから、職員の一般教養を高めることを目的とする研修は、地方公務員法の研修には当たらない。

❸　地方公務員法では、研修は、任命権者が行うものとされており、任命権者の所轄にない機関や外部に委託して行う研修は、地方公務員法の研修には当たらない。

❹　人事委員会は、研修の目標、研修に関する計画の指針となるべき事項その他研修に関する基本的な方針を定めることとされている。

❺　人事委員会を置く地方公共団体においては、人事委員会は、研修に関する計画を立案し、その他研修の方法について定めることができる。

解説

❶　正しい。設問のとおり。

❷　誤り。職員の一般教養を高めるために行う研修は、長期的には能率や技術の向上に結びつくから、地方公務員法上の研修といえる。

❸　誤り。地方公務員法の規定は、研修の実施は任命権者の責務であるとする趣旨であり、研修の実施を他の機関に委託することを禁止する趣旨ではない。

❹　誤り。地方公務員法39条３項は、地方公共団体が研修に関する基本的な方針を定めることとしている。

❺　誤り。人事委員会は、研修に関する計画を立案し、その他研修の方法について勧告することができる。

【正解　❶】

判例チェック

（特別職の任用について）
釧路市労働相談所事件：札幌高裁平成７年８月９日判決労働判例698号70頁
（非常勤職員の任用、任用関係等について）
中野区非常勤保育士事件：東京高裁平成19年11月28日判決判時2002号149頁
（特別職の地方公務員法の適用除外について）
水戸地裁昭和38年５月25日判決行政事件裁判例集14巻５号1099頁
（人事委員会の審査手続と議事録閲覧請求について）
最高裁昭和39年10月13日判決民集18巻８号1619頁
（平等取扱いと勧奨退職制度について）
金沢地裁平成13年１月15日判決労働判例805号82頁
（管理職の任用と国籍について）
東京都管理職選考受験資格確認請求事件：最高裁平成17年１月26日判決民集59巻１号128頁

新要点演習
地方公務員法

第2章

任用

- （概観）
- 成績主義
- 任用の種類と運用
- 欠格条項
- 任用の方法
- 競争試験・選考
- 条件付採用
- 会計年度任用職員
- 臨時的任用
- 任期付職員
- 職員の派遣

- 判例チェック

（概観）

1　総論

「任用」とは、任命権者が特定の人を特定の職（ポスト）につけることをいう。地方公務員法では、職員としての身分は職とは切り離すことができないものと観念されており、職員の身分を与えながらも職には就けないという任用は考えられない。したがって、休職中の職員であっても、職員として身分を有していることから、職は有しており、ただ職務には従事しないものと解されている。なお、地方公務員法では、「任命」という語が用いられている（例えば、6条、17条）ことがあるが、「任用」とほぼ同じ意味と解してよい。

任用の具体的な方法として、地方公務員法では、採用、昇任、降任及び転任の4つが規定されており、これらは、正式任用と呼ばれている。任命権者は、職員の職に欠員が生じた場合には、これらのいずれか1つの方法により、職員を任命することが原則である。

なお、職員の任用は、平等取扱いの原則（13条）、任用の根本基準（15条）及び不利益取扱いの禁止（56条）の規定に従って行われなければならず、欠格条項（16条）に該当する者を採用することはできない。また、職員の任用方法は、地方公務員法に規定する手続に限定され、これ以外の方法による任用は認められないこととされている。

これらの規定を通じて地方公務員法が任用において実現しようとしている目的は、任用の公正の実現（人事が情実や圧力によって、又は任命権者の恣意によって左右されること等により任用の公正が阻害されれば、地方公共団体の業務の適正な執行を妨げ、職員全体の利益にも反するおそれがある）、能力主義の実現（職員の適材適所の配置とそれにふさわしい処遇がなされることにより、職員の士気の高揚と一層の能率の向上が図られることにつながる）にあるとされている。

2　採用行為の法的性格

採用行為の法的性格に関して学説上見解が分かれている。主な学説は次のとおりである。

公法上の契約説	採用は、地方公共団体とその職員になろうとする者との双方の合意によって成立する契約である。

一方的行政行為説	採用は、公務の必要に基づき、一方的に職員たる地位を付与する行政行為である。
相手方の同意を要する行政行為説	採用は、行政庁の優越的地位に基づく行政行為の一種であるが、一般の行政行為と異なり、その性質上、相手方の同意を要する行為である。

公法上の契約説は、採用に当たっての両当事者の意思を重視する一方、一方的行政行為説は、公共の利益の実現という任用行為の使命を重視する。通説的見解は、両者の折衷説である相手方の同意を要する行政行為説である。

3　任用の根本基準

任用に関する根本基準としては、任用は、受験成績、人事評価その他の能力の実証に基づいて行わなければならないという「成績主義」（メリット・システム）が挙げられる。成績主義は、地方公務員法15条に規定されている。

成績主義は、①職員の門戸を広くした上で能力の優劣による選抜を徹底することにより、優秀な人材を確保し育成する、②政治的立場、縁故、情実といった要素による人事を排除することによりひいては行政の中立性・公正性を確保するといった理由から、任用の根本基準とされているものであり、近代的公務員制度の中核をなす極めて重要な原則である。

①の人材の確保と育成については、能力主義によって登用を行い、優れた人材に行政運営の責任と権限を与えることが、優秀な人材を育成する方法の一つであること、②の行政の中立性・公正性の確保については、人事の公正が害されると、公務の遂行に支障が生じたり、他の職員の士気の低下につながるおそれがあるとされている。

4　特殊な任用形式

職員の採用は、正式任用によることが原則であるが、その例外として、会計年度任用、臨時的任用と条件付採用の制度がある。

また、一般職の職員のうち常勤の者は、任期を定めることなく採用されるのが通常であるが、特に任期を設けて一般職の職員として採用する制度として、任期付職員制度、任期付研究員制度、再任用職員制度等が設けられている。これらは、臨時的任用及び条件付採用とは異なり、その採用の形式は、正式任用によるものとされている。

成績主義

1　概要

成績主義は、「職員の任用は、この法律の定めるところにより、受験成績、人事評価その他の能力の実証に基づいて行わなければならない」として地方公務員法15条に規定されており、優秀な人材の確保・育成のほか、人事の公平等を確保するという趣旨から、任用の根本基準とされているものであり、近代的公務員制度の中核をなす極めて重要な原則である。なお、任用に関しては、成績主義のほか、地方公務員制度全般に関する原則である平等取扱いの原則も適用される。

2　成績主義の具体化

地方公務員法では、成績主義を具体化するものとして、任命権者が標準職務遂行能力を定め、職員を任用する場合には、人事評価その他の能力の実証に基づき、標準職務遂行能力及び適性を有するかどうかを判定することが規定されるとともに、採用と昇任は、競争試験又は選考の方法によらなければならないことが規定されている（17条の2第1・2項、21条の4第1項）。

なお、「人事評価」とは、「任用、給与、分限その他の人事管理の基礎とするために、職員がその職務を遂行するに当たり発揮した能力及び挙げた業績を把握した上で行われる勤務成績の評価」であり（6条1項）、「その他の能力の実証」とは、職種に応じた各種の免許（教育職員の免許等）を得ていること、専門的な学校を卒業し又は一定の課程を履修したこと等が挙げられる。このほか、民間における経歴も用いることができる。また、地方公務員法15条に違反して任用した者には、罰則の適用がある（61条2号）。

3　猟官制

ちなみに、成績主義による任用制度の反対に位置づけられるものとして、猟官制（スポイルズ・システム）がある。これは、任命権者との個人的な関係や信頼関係などに基づいて任用する制度である。猟官制を採用しているものの代表例としてよく挙げられるアメリカの行政府では、大統領の交代により主要職員が一斉に入れ替わるシステムがとられている。我が国においても、知事や市町村長との間の政治的関係、信頼関係が重視される副知事や副市町村長は特別職とされており、その任用は、成績主義に基づかずに行われている。

■関係法条／地方公務員法15条、17条の２、21条の４

◉キーワード／成績主義、行政の中立性・公正性、任用の根本基準

【問題】成績主義に関する次の記述のうち、妥当なものはどれか。

❶　成績主義は、地方公務員法に規定されている任用の根本基準の一つであるが、それに違反して任用しても罰則等の適用はない。

❷　地方公務員法では、成績主義の具体化として、任命権者が標準職務遂行能力を定め、職員を昇任させる場合には、人事評価その他の能力の実証に基づき、標準職務遂行能力及び適性を有するかどうかを判定することとされている。

❸　地方公務員法では、採用と昇任は、競争試験又は選考の方法によらなければならないことが規定され、これは平等取扱いの原則の具体化の一つではあるが、成績主義とは直接の関係はない。

❹　我が国においては、特別職・一般職を通じて成績主義の原則が貫徹されており、成績主義に基づかない任用は行われない。

❺　成績主義の趣旨は、政治的立場、縁故、情実などの要素による人事の排除により行政の公正性・中立性の確保にあるとされ、優秀な人材の確保・育成については、間接的に寄与するものではあるが直接的な目的ではない。

解説

❶　誤り。地方公務員法15条に違反する任用には罰則がある（61条２号）。

❷　正しい（15条の２第１項５号、21条の３）。

❸　誤り。採用と昇任は、競争試験又は選考の方法によらなければならないことも成績主義の具体化の一つである。

❹　誤り。副知事や副市町村長は、成績主義によらず、知事や市町村長との間の政治的関係、信頼関係が重視される。

❺　誤り。優秀な人材の確保・育成についても、職員の門戸を広くした上で能力の優劣による選抜を徹底することにより図られるものであり、成績主義の趣旨である。

【正解　❷】

任用の種類と運用

任命権者は、職員の職に欠員が生じた場合には、採用、昇任、降任及び転任のいずれかの方法により、職員を任命することが原則である。これら4つの方法を正式任用という。これらの任用の方法のそれぞれの意義は、地方公務員法15条の2第1項に定められているが、次の表のとおりである。

採　用	職員でない者を、ある職に新たに任命すること。
昇　任	職員を、現在の職より上位の職に任命すること。
降　任	職員を、現在の職より下位の職に任命すること。昇任の逆。
転　任	職員を、昇任及び降任以外の方法で他の職に任命すること。

これらのうち降任は、分限処分に当たるため、地方公務員法に定める事由によらなければすることができない。また、臨時的任用は、採用には含まれず、他方、臨時的任用をされた職員を一般の職員とすることは、昇任、転任ではなく採用に当たるものとされている。

人事委員会や競争試験等を行う公平委員会は、上記の任命の方法のうちいずれによるべきかの一般的基準を定めることができる。

また、正式任用とはされていないが、実際に行われている任用の方法として、次の表に挙げるものがある。

兼職	職員を、その職を有したまま他の職に任命すること。国家公務員と異なり、地方公務員については、広く人材を求め、人事の弾力的運用を図る観点から、法律により禁止されているものを除くほか、兼職は禁止されていない。
充て職	一定の職にある職員を、法令等の規定により当然に他の特定の職に就くこととすること。兼職の一形態であるが、充てられる職について具体的な任命行為を必要としない点が特色である。
事務従事	職員に対して他の職の職務を行うことを命ずること。実質は兼職に近いが、職務命令に基づくという点で兼職と異なる。事務従事は、同一地方公共団体内に限られるものである。
出向	慣習的に用いられている発令形式で、その法的性格は一様ではない。その職員の任命権者が、他の任命権者の機関への転任を命ずること、他の任命権者の機関への事務従事を命ずること、他の地方公共団体や公社等への派遣を命ずること等がある。
派遣	職員を、他の公共的・公益的団体に、職務命令、職務専念義務免除、休職、退職等の方法により派遣すること。

■関係法条／地方公務員法15条の２第１項、17条、22条の３第５項、28条１・３項

◉キーワード／正式任用　採用・昇任・降任・転任　兼職　充て職　事務従事　出向　派遣

【問題】職員の任用に関する次の記述のうち、妥当なものはどれか。

❶　人事委員会を置く地方公共団体においては、職員の採用及び昇任だけでなく、職員の転任についても、競争試験又は選考によることが必要とされている。

❷　職員の職に欠員が生じた場合には、任命権者は、採用、昇任又は転任のいずれかの方法により、職員を任命するものとされており、不利益処分となる降任は、この場合の任命方法とすることはできない。

❸　職員の職に欠員を生じた場合においては、任命権者は職員を任命することができるが、条例が定める定数を超えて職員の任用が行われた場合、条例定数を超える当該任用行為は無効になる。

❹　国家公務員法では兼職禁止の原則が定められているが、地方公務員法では人材の活用や人事の弾力的運用の見地から兼職も可能とされている。

❺　職員の採用については、成績主義の原則が適用されることから、学歴や勤務経歴を考慮することは許されない。

解説

❶　誤り。転任については、そのようなことは規定されていない（21条の５第２項）。

❷　誤り。降任も、その場合の職員の任命方法の１つとされている（17条１項）。

❸　誤り。当然に無効となるわけではないが、任用行為を取り消さなければならない（17条１項、昭和42年10月９日行実）。

❹　正しい。

❺　誤り。一定の学歴や一定期間の一定の勤務経歴など公務遂行能力を有すると認めるに足る客観的事実の存在は、地方公務員法15条の「その他の能力の実証」として考慮されうる。

【正解　❹】

欠格条項

1 意義

職員は、全体の奉仕者として公共の利益のために勤務すべき地位にあることから、職員となることができる者をそれにふさわしい一定の要件を備えた者に限る必要があり、このような必要性に基づいて、職員となり、又は職員であるために備えるべき最低限必要な要件ということから、職員となることができない者を定めた規定（欠格条項）が設けられている。

欠格条項に規定する事由（欠格事由）に該当する場合には、条例で定める場合を除くほか、職員となり、又は競争試験・選考を受けることができない（16条）。職員となった後に欠格事由（**2**の(2)を除く。）に該当するに至ったときは、条例に特別の定めがある場合を除き、当然に失職する（28条4項）。

2 欠格事由

地方公務員法16条に定められている欠格事由は、次のとおりである。

(1) 禁錮以上の刑に処せられ、その執行を終わるまでの者又はその執行を受けることがなくなるまでの者であること。

(2) その地方公共団体において懲戒免職の処分を受け、その処分の日から2年を経過しない者であること。

(3) 人事委員会・公平委員会の委員の職にあって、地方公務員法60条から63条までに規定する罪を犯し刑に処せられた者であること。

(4) 日本国憲法施行の日以後において、日本国憲法又はその下に成立した政府を暴力で破壊することを主張する政党その他の団体を結成し、又はこれに加入した者であること。

3 欠格事由に該当する者に対する任用行為の効力

欠格事由に該当する者に対する任用行為は、重大な法令違反であるから、当然に無効となる。欠格事由に該当する者に任用行為が無効である旨を通知すればよい。ただし、欠格事由に該当することが明らかになるまでに時間を要した場合、その者が実際に職員として行った行為は無効とはならず、また、その間の給与の返還を求めることはできないと解されている。これは、「事実上の公務員の理論」などと呼ばれている。

■関係法条／地方公務員法16条、28条４項
◉キーワード／欠格事由　失職

【問題】職員の欠格条項に関する次の記述のうち、妥当なものはどれか。

❶　欠格事由として、当該地方公共団体において懲戒免職の処分を受け、当該処分の日から２年を経過しない者が規定されており、当該地方公共団体で懲戒免職を受けた者に限定され、他の地方公共団体で懲戒免職を受けた者までは対象とならないが、特定地方独立行政法人の職員については、それを設立した地方公共団体で懲戒免職を受けて２年を経過しない場合にも、欠格事由に該当するものとされている。
❷　欠格事由に該当する者は、職員となり、又は競争試験・選考を受けることができないが、臨時職員については欠格条項に該当する者を採用することは可能である。
❸　欠格事由として、禁錮以上の刑に処せられ、その執行を終わるまでの者又はその執行を受けることがなくなるまでの者が規定されているが、禁錮以上の刑とは、禁錮のほか、死刑、懲役及び拘留がそれに該当する。
❹　欠格事由に該当する者を誤って職員に任用した場合には、その間になした当該者の行為を有効なものとする必要があることから、そのことが発覚した時点で直ちに免職の処分を行うこととされている。
❺　成年被後見人は、欠格事由に該当するが、被保佐人は、欠格事由から削除された。

解説

❶　正しい（16条２号、地方独立行政法人法53条３項）。
❷　誤り。欠格条項における「職員」とは、一切の一般職の地方公務員をいい、臨時職員も含まれる（16条）。
❸　誤り。拘留は、禁錮よりも軽い刑とされている（刑法９条）。
❹　誤り。欠格条項に該当する者の任用は当然に無効となるものとされている。
❺　誤り。2019年の成年被後見人等の権利の制限に係る措置の適正化を図るための関係法律整備法により、地方公務員の欠格事由として成年被後見人と被保佐人は削除された。

【正解　❶】

任用の方法

1　採用の方法（17条の2）

人事委員会（競争試験等を行う公平委員会を含む。以下同じ）を置く地方公共団体では職員の採用は競争試験によるが、人事委員会規則（公平委員会規則）で定める場合には選考によることも可能である。人事委員会を置かない地方公共団体では、競争試験、選考いずれかの方法によればよい。

採用試験は、受験者が、標準職務遂行能力（職制上の段階の標準的な職の職務を遂行する上で発揮することが求められる能力として任命権者が定めるもの）及び適性を有するかどうかを正確に判定することを目的とし、筆記試験その他の人事委員会等が定める方法により行う（20条）。人事委員会は試験ごとに採用候補者名簿を作成し、任命権者は、当該名簿に記載された者の中から採用を行う（21条3項）。選考は、標準職務遂行能力及び適性を有するかどうかを正確に判定することを目的とし、任命権者が、人事委員会又は任命権者の行う選考に合格した者の中から行う。(21条の2)。採用試験又は選考は、人事委員会等が行うが、他の地方公共団体の機関との協定により共同して又は国・他の地方公共団体の機関に委託して行うこともできる（18条）。また、最終的な合否の決定以外の事務については、私法上の契約その他の合意によって、同一地方公共団体の任命権者が共同して、又は同一地方公共団体の他の機関あるいは民間団体に委託して実施することができる。

2　昇任、降任及び転任の方法（21条の3～21条の5）

職員の昇任は、任命権者が、職員の受験成績、人事評価その他の能力の実証に基づき、標準職務遂行能力及び適性を有すると認められる者の中から行い、任命権者が職員を人事委員会規則で定める職（人事委員会を置かない地方公共団体においては、任命権者が定める職）に昇任させる場合には、当該職について昇任試験又は選考が行われなければならない（21条の3）。昇任試験及び選考の実施方法は、採用の場合と同様である。昇任試験は、人事委員会等の指定する職に正式に任用された職員に限り、受験することができる（21条の4）。職員の降任及び転任については、当該職員の人事評価その他の能力の実証に基づき、標準職務遂行能力及び適性を有すると認められるかどうかを判断の上、行われる（21条の5）。

■関係法条／地方公務員法17条～21条の５

◉キーワード／採用・昇任・降任・転任の方法　標準職務遂行能力　適性

【問題】任用（採用・昇任・降任・転任）の方法に関する次の記述のうち、妥当なものはどれか。

❶　人事委員会を置く地方公共団体では職員の採用は競争試験によるのが原則であるが、人事委員会規則で定める場合には、選考によることも可能である。

❷　採用試験は、受験者が採用試験に係る職について標準職務遂行能力及び適性を有するかどうかを正確に判定することを目的とし、筆記試験により行わなければならず、口頭試問その他の方法で行うことはできない。

❸　任命権者は、採用、昇任、降任又は転任のいずれかの方法により職員を任命することができるが、条例が定める定数を超えて職員の任用が行われた場合、条例定数を超える当該任用行為は無効になる。

❹　職員の降任及び転任は当該職員の人事評価その他の能力の実証に基づき行うが、職員の昇任は当該職員の人事評価によるのではなく競争試験又は選考の受験成績のみに基づいて行われる。

❺　任命権者は、標準職務遂行能力及び標準職務遂行能力に係る標準的な職を定めなければならないが、その際には、あらかじめ人事委員会又は公平委員会に協議しなければならない。

解説

❶　正しい（17条の２第１項）。

❷　誤り。筆記試験のほか、口頭試問等の人事委員会規則で定める方法により行うことも可能である（20条２項）。

❸　誤り。職員の職に欠員を生じた場合において、職員を任命することができるが、当該任命行為が当然に無効とまではいえない（17条１項）。

❹　誤り。職員の昇任については、当該職員の受験成績、人事評価その他の能力の実証に基づき行われる（21条の３）。

❺　誤り。地方公共団体の長及び議会の議長以外の任命権者については、あらかじめ地方公共団体の長に協議しなければならない（15条の２第３項）。

【正解　❶】

競争試験・選考

競争試験は、人事委員会、競争試験若しくは選考を行う公平委員会又はこれらの委員会を置かない地方公共団体の任命権者が定める受験資格を有するすべての国民に対して、平等の条件で公開して行わなければならない。競争試験を実施する者は、受験者に必要な資格として職務の遂行上必要な最少かつ適当の限度の客観的かつ画一的要件を定めなければならない。昇任試験は、競争試験を実施する者が指定する職に正式に任用された職員に限り、受験することができる。

競争試験は、標準職務遂行能力及び適性を有するかどうかを正確に判定することを目的とし、筆記試験その他の人事委員会規則（競争試験等を行う公平委員会を置く地方公共団体にあっては公平委員会規則。以下同じ）が定める方法により行う（20条）。なお、選考の方法については、特に定めはないが、選考は上記の競争試験と同じ目的で行われるものであり（21条の2第1項）、競争試験に準じた方法で行うべきである。

人事委員会又は競争試験等を行う公平委員会（人事委員会等）を置く地方公共団体において競争試験を実施したときは、人事委員会等は、試験ごとに、合格点以上の点を得た者の氏名と得点を記載した採用候補者名簿・昇任候補者名簿を作成しなければならない。任命権者が採用又は昇任を行うときは、人事委員会等の提示する採用候補者名簿又は昇任候補者名簿に記載された者の中から行わなければならない。その場合、採用候補者名簿又は昇任候補者名簿に記載された者の数が、人事委員会等が任命権者に提示すべき志望者の数よりも少ないときその他の人事委員会規則で定める場合は、人事委員会等は、他の最も適当な採用候補者名簿又は昇任候補者名簿に記載された者を加えて提示することができる。このほか、名簿の作成及び名簿による任用の方法に関し必要な事項は、人事委員会規則で定めなければならない（21条）。

人事委員会等を置かない地方公共団体においては、採用候補者名簿及び昇任候補者名簿の作成義務がないため、これらの名簿に係る制限は適用されず、任命権者の判断が尊重される。

なお、選考による採用は、任命権者が、人事委員会等の行う選考に合格した者の中から行うものとされている。

■関係法条／地方公務員法18条の２～21条の４

◉キーワード／競争試験　標準職務遂行能力及び昇任の判定　採用候補者名簿・昇任候補者名簿　筆記試験　選考

【問題】人事委員会又は競争試験若しくは選考を行う公平委員会を置く地方公共団体における競争試験の手続に関する次の記述のうち、妥当なものはどれか。

❶　昇任試験を受けることができる者の範囲は、人事委員会又は競争試験若しくは選考を行う公平委員会の指定する職に正式に任用された職員に制限される。

❷　任命権者が採用試験名簿による採用を行うときは、当該名簿に記載された者について、採用すべき者１人について人事委員会の提示する採用試験における高得点順の志望者５人のうちから採用を行わなければならない。

❸　競争試験は、すべての国民に対して平等の条件で公開されなければならないことから、人事委員会又は競争試験若しくは選考を行う公平委員会といえども、受験者に必要な資格を定めて受験資格を制限することは許されない。

❹　競争試験は、標準職務遂行能力及び適性を有するかどうかを正確に判定することを目的としているが、その方法として、筆記試験以外の方法により行うことはできない。

❺　任用候補者名簿を男女別に作成することは認められている。

解説

❶　正しい（21条の４第３項）。

❷　誤り。当該名簿に記載された者の中から、任命権者の裁量により採用することができる（21条３項）。

❸　誤り。受験者に必要な資格として職務の遂行上必要な最少かつ適当の限度の客観的かつ画一的要件を定めなければならない（19条２項）。

❹　誤り。筆記試験その他の人事委員会規則で定める方法により行うことが認められている（20条）。

❺　誤り。任用候補者名簿は、１つの競争試験ごとに１つずつ作成される（21条１項）。

【正解　❶】

条件付採用

競争試験又は選考による採用により、職員の職務遂行能力は一応担保されうるものであるが、職務遂行能力を真に有するかどうかは実務に携わって初めて明らかになる場合も少なくない。そこで、職員の採用は、民間企業の試用期間と同じ趣旨から、すべて条件付のものとし、条件付採用期間において良好な成績で職務を遂行したときに初めて正式採用になるとしている（22条）。このような任用関係を条件付採用という。これは、正式任用（採用、昇任、降任又は転任）の例外である。

条件付採用期間は、原則として採用の日から6か月間（会計年度任用職員については1か月間）であるが、人事委員会又は競争試験若しくは選考を行う公平委員会（これらを置かない地方公共団体においては、任命権者）は、人事委員会規則又は地方公共団体の規則の定めるところにより、この期間を採用後1年に至るまで延長することができる（22条）。ただし、条件付採用期間の1年を超える延長と6か月未満への短縮は、認められない。なお、公立の小学校、中学校、高等学校等の教諭等の条件付採用期間は、初任者研修期間に対応して一律に1年とされている（教育公務員特例法12条）。条件付採用期間を経過したときは、別段の通知又は発令行為を要することなく、正式採用となる。

条件付採用期間中の職員の身分取扱いは、原則として正式採用職員と同じであるが、実地の勤務について能力の実証を行うための期間中であることから次の点が異なる（29条の2）。

⑴　条件付採用期間中の職員は、分限に関する規定（27条2項、28条1～3項）の適用がなく、法律に定める事由によらず降任又は免職をさせ、法律又は条例に定める事由によらず休職させ、条例に定める事由によらず降給させることができる。また、条件付採用期間中の職員の分限については、条例で必要な事項を定めることができる。ただし、職員の分限及び懲戒について公正でなくてはならないという公正の原則（27条1項）の適用を受けることに注意する必要がある。

⑵　条件付採用期間中の職員は、行政不服審査法の適用がなく、違法又は不当な不利益処分について、人事委員会・公平委員会に対して審査請求をすることができない。ただし、違法な不利益処分については、裁判所に無効確認や取消しの訴えを提起することはできる。

■関係法条／地方公務員法22条、29条の２　教育公務員特例法12条
◉キーワード／試用期間　正式任用の例外

【問題】条件付採用に関する次の記述のうち、妥当なものはどれか。

❶　条件付採用については、臨時的任用は対象外とされているほか、会計年度任用職員には適用されない。

❷　条件付採用の期間中については身分保障がないため、当該期間中の職員は審査請求をすることができないが、勤務条件に関する措置要求はすることができる。

❸　条件付採用の期間は、採用の日から６か月間であるが、能力の実証を実地に得るために必要があると認める場合には、任命権者は、その期間をさらに１年間延長することができる。

❹　条件付採用の期間に職員が昇任又は降任された場合には、昇任又は降任後改めて能力の実証を実地に得る必要があるため、昇任又は降任の日から改めて条件付採用の期間が開始することになる。

❺　条件付採用の期間中の職員は、身分保障がないことから、懲戒処分を行うことについては、正式採用の職員に比べて限定されている。

解説

❶　誤り。条件付採用は、会計年度任用職員についても適用があり、その期間は１か月間である（22条の２第７項）。なお、臨時的任用は採用に含まれない。

❷　正しい（29条の２第１項）。

❸　誤り。条件付採用の期間の延長は、採用後１年に至るまで延長することができる。また、人事委員会を置く地方公共団体においては、人事委員会がこれを行う（22条後段）。

❹　誤り。条件付採用の期間中に昇任又は降任があった場合の別段の規定はなく、特に期間の延長をしない限りは所定の期間の経過によって正式採用になる。

❺　誤り。服務及び懲戒については、条件付採用の期間中の職員も正式採用の職員と全く同じである。

【正解　❷】

会計年度任用職員

地方の厳しい財政状況が続く中、多様化する行政需要に対応するため、地方公務員の臨時・非常勤職員の総数が増加しているが、特別職（臨時・非常勤の顧問、参与、調査員、嘱託員等）として任用され一般職であれば課される守秘義務等の服務規律などが課されない、例外的な制度である臨時的任用の趣旨に沿わない運用が見られるなどの問題が指摘されてきた。このようなことから、臨時・非常勤職員の適正な任用・勤務条件を確保するため、①特別職の範囲を「専門的な知識経験等に基づき、助言、調査等を行う者」に厳格化する（３条３項）一方、②「臨時的任用」の対象を「常勤職員に欠員を生じた場合」に限定するとともに、一般職の非常勤職員である「会計年度任用職員」が創設された。

会計年度任用職員については、「会計年度任用の職」を「一会計年度を超えない範囲内で置かれる非常勤の職（短時間勤務の職員を除く。）」とした上で、「会計年度任用の職」を占める職員を会計年度任用職員と定義し、１週間当たりの通常の勤務時間が常勤職員に比し短い時間であるパートタイムのものと常勤職員の１週間当たりの通常の勤務時間と同一の時間であるフルタイムのものの２類型が設けられた（22条の２第１項）。

会計年度任用職員の採用方法は、競争試験又は選考とし、面接や書類選考等を通じた能力実証によることも可能である。採用の際には１か月の条件付とされる。

会計年度任用職員の任期については、その採用の日から同日の属する会計年度の末日までの期間の範囲内で任命権者が定める（22条の２第２項）。なお、会計年度任用職員の任期の設定に関し、退職手当等の負担を避けるため再度の任用の際に新任期と前任期との間に空白期間を設けることは適切でなく、任用されていない者を事実上業務に従事させることのないよう、職務の遂行に必要かつ十分な任期を定めるものとする配慮義務が規定されている（22条の２第６項）。

会計年度任用職員については、職務専念義務等の服務規律が適用になるが、営利企業への従事等の制限については、フルタイムのものは適用対象となる一方、パートタイムのものは対象外とされた（38条）。また、常勤職員と同様の勤務条件に関する交渉制度も適用され、勤務条件条例主義、人事・公平委員会への措置要求、審査請求等が認められたほか、労働基準法に定める年次有給休暇等、育児休業等の整備なども必要とされている。このほか、フルタイムの会計年度任用職員については給与・旅費・一定の手当、パートタイムの会計年度任用職員については報酬・費用弁償・期末手当の支給対象とされている（地方自治法203条の２、204条）。

■関係法条／地方公務員法22条の２
◉キーワード／会計年度任用の職

【問題】会計年度任用職員に関する次の記述のうち、妥当なものはどれか。

❶　会計年度任用職員は、職務の内容が臨時的なものであることから、いわゆるパートタイムのもののみとされ、１週間当たりの通常の勤務時間が常勤職員のそれと同一の時間であるフルタイムのものは認められていない。
❷　会計年度任用職員の任期については、任命権者が定めるものとされており、その期間は採用の日の属する会計年度の末日までの期間の範囲内とされているが、同一の職務内容の職が翌年度も設置される場合には、同一の者が再度任用されることは排除されていない。
❸　職務専念義務や信用失墜行為の禁止等の服務の規定は、会計年度任用職員についても適用があるが、営利企業への従事等の制限については、会計年度任用職員には適用されない。
❹　会計年度任用職員の採用についても、客観的な能力の実証が必要であり、その採用方法は競争試験が原則とされている。
❺　会計年度任用職員は、非常勤の職であり、その採用については、条件付採用の規定の適用はない。

解説

❶　誤り。会計年度任用職員には、パートタイムのものとフルタイムのものの２つの類型が定められている（22条の２第１項）。
❷　正しい。会計年度任用職員の任期は、その採用の日からその属する会計年度の末日までの期間の範囲内で任命権者が定めるものとされ（22条の２第２項）、また、同一職務内容の職が翌年度も設置される場合、同一の者が、平等取扱いの原則や成績主義の下で客観的な能力の実証を経て再度任用されることは可能とされている。
❸　誤り。会計年度任用職員のうち、フルタイムのものには適用される（38条）。
❹　誤り。会計年度任用職員の採用は、競争試験又は選考のいずれかによる（22条の２第１項）。
❺　誤り。会計年度任用職員の採用についても、条件付採用の規定の適用があり、その期間については６か月ではなく、１か月とされている（22条の２第７項）。

【正解　❷】

臨時的任用

1　意義

職員の任用は、正式任用によるのが原則であるが、一定の事由がある場合に限って、例外として、任命権者が6か月を超えない期間で職員を臨時的に任用することを認めている（臨時的任用）。なお、臨時の職であっても、顧問、参与、調査員、嘱託員やこれらに準ずる職は、特別職であり（3条3項3号）、これらの職に係る任用は、臨時的任用ではない。

臨時的任用を行うことができるのは、常勤職員に欠員を生じた場合において①緊急のとき（例えば、災害の発生等の場合）、②臨時の職に関するとき（例えば、臨時的に業務の繁忙等があるとき）、③任用候補者名簿がないとき（人事委員会又は競争試験・選考を行う公平委員会（人事委員会等）を置く地方公共団体に限る。）である（22条の3第1項）。

臨時的任用の期間は、原則として6か月以内の期間であり、必要に応じ最初の任用から6か月以内の期間で更新できるが、再度の更新はできない。人事委員会等を置く地方公共団体においては、期間の更新に当たり、人事委員会等の承認が必要である。臨時的任用の期間が満了したときは、任期が更新されない限りその者は当然に失職する。

臨時的任用職員の身分取扱いは、条件付採用期間中の職員とほぼ同じであり、分限処分及び審査請求に関する規定の適用を受けず、分限については条例で必要な事項を定めることができる（29条の2）。

2　臨時的任用の手続

人事委員会等を置く地方公共団体では、臨時的任用に当たっては、その職について、人事委員会規則・公平委員会規則で定めるところにより、人事委員会等の承認を得なければならない（22条の3第1項）。また、人事委員会等は、臨時的任用をされる者の資格要件を定めることができる（22条の3第2項）。人事委員会等は、これらに違反する臨時的任用を取り消すことができる（22条の3第3項）。一方、それ以外の地方公共団体では、こうした手続は必要なく、任命権者の判断による臨時的任用が可能である。

なお、臨時的任用は正式任用に際していかなる優先権をも与えるものではなく、臨時的任用職員を引き続き一般の職員として採用する場合には、競争試験又は選考によらなければならず、採用後も条件付採用とされる。

■関係法条／地方公務員法３条３項、22条の３、29条の２
◉キーワード／臨時の職　特別職非常勤職員

【問題】臨時的任用に関する次の記述のうち、妥当なものはどれか。

❶　臨時的任用職員を引き続き一般の職員として採用する場合には、臨時的任用職員としての実績を考慮して、採用試験や選考によらず優先的に採用することができる。
❷　臨時的任用は、人事委員会又は競争試験・選考を行う公平委員会を置かない地方公共団体では、任命権者の判断で行うことができるのに対し、それらを置く地方公共団体では、それらが定める要件・基準に基づいて任命権者の判断により行う。
❸　人事委員会又は競争試験・選考を行う公平委員会を置く地方公共団体であろうが、そうでない地方公共団体であろうが、緊急の場合と臨時の職に関する場合には、臨時的任用を行うことができるが、いずれの場合でも臨時の職に充てることを要し、緊急の場合であっても恒久的な職に臨時的任用職員を充てることはできない。
❹　臨時的任用の職員については、地方公務員法の分限に関する規定のほか、不利益処分についての審査請求に関する規定の適用もないが、その身分保障を条例で定めることは可能である。
❺　臨時的任用を行うことができるのは６か月以内の期間であり、必要があれば、６か月以内の期間に限り更新することができることから、５か月の期間で臨時的任用した者について、さらに４か月間任用したときは、あと３か月任用することが可能である。

解説

❶　誤り。臨時的任用は、正式採用に際して、いかなる優先権をも与えるものではない（22条の３第５項）。
❷　誤り。人事委員会等を置く地方公共団体では、任命権者は、それらの承認を得て臨時的任用を行う（22条の３第１項）。
❸　誤り。緊急の場合、恒久的な職に臨時的任用職員を充てることは可能（22条の３第１・４項）。
❹　正しい。臨時的任用職員には、分限に関する規定の適用はないが、それについて条例で必要な事項を定めることができる（29条の２）。
❺　誤り。臨時的任用については、１回に限り、６か月以内の期間の更新を行うことができるとされていることから、設問の場合には、それ以上さらに引き続いて臨時的任用をすることはできない（22条の３第１・４項）。

【正解　❹】

任期付職員

1 制度の趣旨

職員には期限の定めのない終身雇用を前提とした身分保障がなされている。しかし、地方分権の進展とそれに伴う行政サービスへのニーズの増大・多様化等に適応するため、より効率的な人材確保の方法として、任期を定めた職員の採用の必要性から、任期付職員制度や一部裁量労働制の採用も認めた任期付研究員制度が法制化されている。

2 任期付職員の種類

任期を定めた採用は、①高度の専門的な知識経験又は優れた識見を必要とする業務（特定任期付職員）、②①以外の専門的な知識経験を必要とする業務（一般任期付職員）又は③一定の期間内に終了することが見込まれる業務若しくは一定の期間内に限り業務量の増加が見込まれる業務のいずれかの業務に従事させる場合において、一定の要件の下で条例の定めるところにより認められる。さらに、④任期付職員以外の職員を③の業務のいずれかに係る職に任用する場合において、その代替要員として任期を定めて職員を採用することも認められる。なお、③の業務に従事させる場合や、育児休業・修学部分休業中の職員の代替要員とする場合には、短時間勤務職員（通常の常勤職員の一週間当たりの勤務時間より勤務時間が短い職員）として、任期を定めた採用をすることも可能である。

3 任期付職員の任用と任期

任期付職員の採用は、**2**③・④の場合を除き選考の方法による。なお、任期付職員の採用時の職と異なる職への任用は、任期付採用の趣旨に反しない限り、認められる。任期付職員の任期は、①・②の職員は５年、③・④の職員は３年（条例で定める場合は５年）を超えない範囲内で任命権者が定める。任期の上限の範囲内であれば、任期の更新も可能である。

4 特定任期付職員・一般任期付職員の特例

人事委員会又は競争試験・選考を行う公平委員会を置く地方公共団体においては、特定任期付職員及び一般任期付職員の採用、任期の更新、採用時と異なる職への任用に当たり、人事委員会等の承認が必要となる。また、これらの任期付職員の採用時と異なる職への任用は、採用時の業務と同一の業務を行うことを主たる職務内容とする職等に限定される。

■関係法条／地方公共団体の一般職の任期付職員の採用に関する法律　地方公共団体の一般職の任期付研究員の採用等に関する法律
◉キーワード／効率的な人材確保　特定任期付職員　一般任期付職員

【問題】任期付職員に関する次の記述のうち、妥当なものはどれか。

❶　一般職の地方公務員は、終身勤務する職員として採用されることが原則であり、任期付職員として採用される職員は、特別職とされている。
❷　一定の期間内に終了することが見込まれる業務に従事するため３年の任期を定めて採用した職員については、業務上の必要が認められる場合であっても、更に３年間任期を更新して採用することはできない。
❸　任期を定めて採用した職員は、特定の業務に従事させるために採用したものであるから、採用時の職と異なる職に任用することはできない。
❹　人事委員会又は競争試験・選考を行う公平委員会を置く地方公共団体において、一定の期間内に終了することが見込まれる業務に従事させるために任期を定めて採用する場合には、当該人事委員会又は公平委員会の承認が必要である。
❺　任期付職員の任期は、３年を超えない範囲内で任命権者が定める。

解説

❶　誤り。地方公共団体の一般職の任期付職員の採用に関する法律に基づき任期付職員として採用とされる職員は、一般職である。
❷　正しい。任期の上限は、更新後の新たに延長される任期の上限ではなく、当初の採用時から数えた期間の上限である。
❸　誤り。任期を定めて採用した趣旨に反しない限りにおいて、認められる。また、人事委員会又は競争試験・選考を行う公平委員会を置く地方公共団体において、特定任期付職員又は一般任期付職員を採用時と異なる職に任用するには、当該人事委員会等の承認が必要となる。
❹　誤り。人事委員会等の承認が必要なのは、特定任期付職員及び一般任期付職員の採用の場合である。
❺　誤り。特定任期付職員及び一般任期付職員については、任期の上限は５年とされている。

【正解　❷】

職員の派遣

兼職の一種として、地方公務員が異なる組織に派遣され、その職を兼ねることがある。職員の派遣には、国や他の地方公共団体への派遣のほか、公共機関への派遣がある。その場合に、地方自治法252条の17などの法令に基づく派遣においては、職員の身分を保有したまま地方公共団体の業務以外の業務に従事することが認められているものである。

このほか、地方道路公社、地方住宅供給公社等の公共的団体や、第3セクター、福祉団体、産業団体等の公益的団体への職員の派遣もあるが、これらの職員派遣に用いられる方法には、①職員は退職して公社などの業務に従事し、復職させるときは改めて地方公共団体が採用する、②地方公務員法27条2項に基づく条例を定めて派遣期間中は休職とするなどがある。また、職務専念義務の免除による派遣や職務命令による公社等の事務への従事といった運用もなされてきたが、公務秩序の観点などから問題があり、違法又は不当な公費支出等となりかねない。地方公共団体が職員の職務専念義務を免除しその給与を負担した上で商工会議所に派遣した事案について、裁判所は、職務専念義務の免除は「処分権者がこれを全く自由に行うことができるというものではなく、職務専念義務の免除が〔地方公務員法上の服務の根本基準や職務専念義務の規定の趣旨〕に違反する場合には違法になると解すべきである」（最高裁平成10年4月24日判決）と判断した。

この最高裁判決を契機として、公益法人等への一般職の地方公務員の派遣等に関する法律が定められ、①公益法人派遣（任命権者が民法法人、一般地方独立行政法人、特別の法律により設立された法人で政令で定めるもの及び地方6団体のうち、業務の密接関連性・人的援助必要性を満たすもの（条例で指定）に対する派遣）と、②営利法人退職派遣（任命権者がその地方公共団体の出資する株式会社等のうち公益増進寄与・業務の密接関連性・人的援助必要性を満たすもの（条例で指定）に対し職員を退職させて派遣）の2つの制度が法定化された。これらの派遣期間は3年以内が原則であり、派遣期間中、地方公共団体は給与を支給しない（①は地方公共団体の委託業務等は支給可能）など、上記判例を踏まえたルール設定が意図されている。派遣法によらない方法による職員の派遣が否定されるものではないが、法定の制度に基づくことが期待されているといえる。

■関係法条／地方公務員法24条、30条、35条　公益法人等派遣法
◉キーワード／根本基準　任命権者　職務専念義務

【問題】職員の派遣に関する次の記述のうち、妥当なものはどれか。

❶　職員が公社などの業務に従事するために退職する場合には、職員の一身上の都合ではなく職務の一環として離職することになるので、必ず復職が保障されている。

❷　職員派遣の方法として、職員を休職にすることによって職務専念義務を免除して公社の事務に従事させる例があるが、休職は職員の意思にかかわらず一方的に不利益を与える分限処分であり、休職事由に職員派遣が含まれる余地もない。

❸　地方公務員法35条に基づく条例により、派遣期間中、職務専念義務を免除することにより職員を公社等の事務に従事させる場合には、公社等の業務による災害は公務災害とはならない。

❹　職務命令により職員を民間団体の事務に従事させることは、その団体が営利企業でなければ、違法又は不当な行政運営あるいは公金の支出とはならない。

❺　職員がその身分を有したまま公社等の事務に従事する場合には、営利企業の従事の許可を受ける必要はない。

解説

❶　誤り。法律的には、復職を保障されるものではない（昭和44年６月26日行実）。

❷　誤り。休職の事由には条例で定めるものを追加することも可能であり（27条２項）、職員派遣のための休職もありうる。

❸　正しい。

❹　誤り。法律又は条例に基づかず森林組合の事務に従事させた職員に対し、地方公共団体が給与を支払うことについては、これを違法な支出であるとした判例がある（最高裁昭和58年７月15日判決）。

❺　誤り。職員が公社等から報酬の支給を受ける場合にあっては、営利企業等の従事の許可を受ける必要がある（38条１項）。

【正解　❸】

判例チェック

（平等取扱いと受験資格について）
東京都管理職選考受験資格確認請求事件：最高裁平成17年1月26日判決民集59巻1号128頁
（欠格条項について）
最高裁平成元年1月17日判決集民156号1頁
（採用内定の法的効果について）
採用内定取消処分事件：最高裁昭和57年5月27日判決民集36巻5号777頁
（条件付採用制度の趣旨について）
最高裁昭和53年6月23日判決判例タイムズ366号169頁
（転任の法的効果について）
最高裁昭和61年10月23日判決集民149号59頁
（任用期間を限って任用された職員について）
長野県農事試験場事件：最高裁昭和62年6月18日判決労働判例504号16頁
（森林組合の事務に従事させた町職員への給与の支払について）
最高裁昭和58年7月15日判決民集37巻6号849頁
（商工会議所への職員の派遣について）
茅ヶ崎市商工会議所派遣職員給与支出事件：最高裁平成10年4月26日判決判時1640号115頁

新要点演習
地方公務員法

第3章

勤務条件

- （概観）
- 給与の意義と給与の決定に関する原則
- 給与の支給に関する原則
- 勤務時間
- 休憩・休日
- 休暇
- 休業
- 労働基準法の適用

- 判例チェック

(概観)

1　勤務条件の意義

勤務条件とは、給与、勤務時間、休日、休暇など職員が地方公共団体に対して職務を提供する場合の諸条件をいう。

職員は、地方公務員法等の法律及びこれらに基づく条例によりその勤務条件を保障されている（経済的権利の保障）ほか、その地位に伴い、その身分を保障され、職務の執行から排除されない権利を有している。また、職員には、これらの権利を保全するためのものとして、保障請求権が認められている。

2　地方公務員の勤務条件

公務員は、全体の奉仕者としての地位を有し、公共のために勤務する者であることから、その勤務条件は、使用者との合意によって決定することがなじまないものとされている。そこで、地方公務員の勤務条件については法律の委任を受けて条例で定めるとする勤務条件法定主義が取り入れられるとともに、労働基本権の制約の代償措置として、中立的・第三者的な人事行政機関として人事委員会・公平委員会を設け、人事委員会による給与勧告の制度を設けている。

なお、国家公務員の勤務条件については、国家公務員法などの法律及びこれらに基づく人事院規則・政令などの下位規範に網羅的に規定されており、労働基準法が適用される余地はほとんどないと解されているのに対し、地方公務員の勤務条件については、労働基準法の一部の規定が適用される（58条）点で、両者に違いがあることに注意が必要である。このため、地方公務員の勤務条件を理解するためには、労働基準法に関する理解も必要となる。

3　勤務条件に関する原則

地方公務員法には、勤務条件に関して次の原則が定められている。

(1)情勢適応の原則

地方公共団体は、地方公務員法に基づいて定められた給与、勤務時間その他の勤務条件が社会一般の情勢に適応するように、随時、適当な措置を講じなければならない（14条1項）。これを情勢適応の原則という。条例により定められる職員の勤務条件の変更には議会の議決を経る必要があることから、職員の勤務条件は、社会、経済の情勢に対して硬直的になりがちであるといわれる。したがって、職員の勤務条件の弾力化を図るため、情勢適応の原則を規定する必要があると説明されている。また、労働基本権が制限され、団体交渉を行い労働協約を締結して労働条件を確保することが制約される職員の勤務条件を保障する必要があることも情勢適応の原則が定められている理由として挙げられる。この原則を具体的に実現するため、人事委員会は、情勢適応の原則に基づいて講じられる措置について、地方公共団体の議会・長に勧告することができることとされている（14条2項）。

⑵均衡の原則

職員の給与は、生計費、国及び他の地方公共団体の職員の給与、民間事業の従事者の給与その他の事情を考慮して定めなければならず（24条2項）、また、給与以外の勤務条件を定めるに当たっては、国及び他の地方公共団体の職員との間に権衡を失しないように適当な考慮が払われなければならない（24条4項）。この原則を均衡の原則という。民間や他の公務員に匹敵する給与の支給により人材を確保する必要があるとの要請と、給与が国民、住民の負担により賄われていることから国民、住民の納得を得る必要があるとの要請を調和させるものがこの原則である。

⑶条例主義

職員の給与、勤務時間その他の勤務条件は、条例で定める（24条5項）。この原則を条例主義という。前述の勤務条件法定主義を、地方公務員についてより具体的に定めた原則であるといえる。ただし、地方公営企業の職員及び単純労務職員については、この原則は適用されず、給与の種類と基準のみを条例で定めるとされている（地方公営企業法38条4項、地方公営企業等の労働関係に関する法律附則5項）。また、特定地方独立行政法人の職員の給与の基準は、同一又は類似の職種の国・地方公共団体の職員、他の特定地方独立行政法人の職員及び民間事業の従事者の給与等を考慮した上で、各特定地方独立行政法人が定めることとされている（地方独立行政法人法51条）。

給与の意義と給与の決定に関する原則

1　給与の意義

勤務条件のうち「給与」とは、職員の職務に対する対価の総称をいう。常勤職員の給与には、「給料」と「諸手当」がある。「給料」とは職員の正規の勤務時間の勤務に対する対価のことである。「諸手当」とは正規の勤務時間以外の勤務に対する対価と、勤務時間には必ずしも対応していない給与のことであり、法律上、扶養手当、地域手当、住居手当、通勤手当、時間外勤務手当、管理職手当、期末手当、勤勉手当などが列挙されている(地方自治法204条2項)。非常勤職員の給与は「報酬」という。

2　給与の決定に関する原則

給与の決定については、次の原則が定められている。

(1)**職務給の原則**　職員の給与は、その職務と責任に応ずるものでなければならない(24条1項)。

(2)**均衡の原則**　前のページの記述を参照されたい(24条2項)。

(3)**条例主義**　職員の給与は、給与に関する条例に基づいて支給されなければならず、また、この条例に基づかずには、いかなる金銭又は有価物も職員に支給してはならない(25条1項)。なお、地方自治法にも、すべての地方公務員の給与その他の給付について、同じ趣旨の規定が設けられている(204条の2)。

給与条例に規定しなければならない事項は、地方公務員法に定められており、給料表、等級別基準職務表、昇給の基準に関する事項、各種手当に関する事項等である(25条3項)。このうち、給料表には、職員の職務の複雑、困難及び責任の度に基づく等級ごとに明確な給料額の幅を定めなければならず、等級別基準職務表には、職員の職務を等級ごとに分類する際に基準となるべき職務の内容を定めるものとされている。

3　給与に関する人事委員会の報告と勧告

人事委員会は、毎年少なくとも1回、給料表が適当であるかどうかについて、地方公共団体の議会及び長に同時に報告し、給与を決定する諸条件の変化により、給料表に定める給料額を増減することが適当であると認めるときは、あわせて適当な勧告をすることができる(26条)。なお、公平委員会には、この権限は認められていない。

■関係法条／地方公務員法24条～26条　地方自治法204条、204条の2
◉キーワード／給与　諸手当　報酬　職務給の原則　均衡の原則　条例主義　勤務条件法定主義　給与条例　給与勧告

【問題】職員の給与の決定に関する原則に関する次の記述のうち、妥当なものはどれか。

❶　職員の給与は、原則として通貨で直接職員に支払わなければならないが、勤勉手当については、小切手により支払うことが認められている。

❷　職員の給与は、その決定に当たって、職員の職務と責任に応ずるという職務給の原則によらなければならないので、生活給としての要素を加味することができない。

❸　地方公営企業職員の給与は、その種類及び基準について条例で定めなければならないが、給料表や各種手当の額など給与の具体的事項については条例で定める必要はない。

❹　地方公営企業職員の給与は、生計費、国家公務員の給与及び民間事業の従業者の給与などを考慮して定めなければならないが、当該地方公営企業の経営状況については考慮する必要はない。

❺　単純な労務に雇用される職員の給与は、その種類及び基準について条例で定める必要はなく、職員の団体と使用者との労働協約で定める。

解説

❶　誤り。一般職に属する職員の給与は、原則として通貨で直接職員に支払わなければならない原則がある。小切手による支払は認められない。

❷　誤り。一般職に属する職員の給与の決定は、職員の職務と責任に応ずるという職務給の原則によるが、生活給も加味されている。

❸　正しい（地方公営企業法38条3項）。

❹　誤り。地方公営企業の給与においても、生計費、同一又は類似の職種の国・地方公共団体の給与、当該地方公営企業の経営状況を考慮して定めなければならない。

❺　誤り。単純な労務に雇用されている職員の給与についても、その種類及び基準については、条例で定める必要がある。　【正解　❸】

給与の支給に関する原則

1　地方公務員法の定め

地方公務員法には、給与の支給について次の原則が定められている。

⑴　給与は、「通貨で」（通貨払の原則）、「直接職員に」（直接払の原則）、「その全額を」（全額払の原則）支払わなければならない。これを「給与支給の三原則」という（25条２項）。これらの原則は、法律又は条例により特に認められた場合に、特例が認められる。例えば、法律により定められた直接払及び全額払の原則の特例に、所得税の源泉徴収、住民税の賦課徴収又は特別徴収、共済組合の掛金などがある。なお、職員の預金口座への振替支出による給与の支払は、直接払の原則の範囲に含まれると解されている。

⑵　職員は、他の職員の職を兼ねる場合においても、その兼務する職に対しての給与を受けてはならない（重複給与の支給の禁止。24条３項）。ただし、特別職に属する地方公務員は「職員」ではないため（４条１項）、兼務する特別職の職に対して給与を支給することは可能である。

2　労働基準法の定め

職員は、原則として労働基準法の労働条件に関する規定の適用を受ける。そのうち給与の支払についての主な規定としては、次のものがある。

⑴　給与は、毎月１回以上、一定の期日を定めて支払われなければならない。ただし、期末手当等の臨時に支払われる給与については、この限りでない（労働基準法24条２項）。

⑵　職員が、時間外勤務を行った場合には通常の勤務時間の給与の25％以上（１か月60時間を超えた時間は50％以上）、夜間勤務（午後10時から午前５時までの勤務）を行った場合には通常の勤務時間の給与の25％（時間外勤務でもあるときは50％）以上、休日勤務を行った場合には通常の勤務日の給与の35％以上の割増手当を、それぞれ支払わなければならない（労働基準法37条１・３項）。

⑶　職員が出産、疾病、災害等の非常の場合の費用に充てるために請求する場合には、支払期日前であっても給与を支払わなければならない（非常時払。労働基準法25条）。

■関係法条／地方公務員法24条３項、25条２項　労働基準法24条２項、25条、37条１・３項
◉キーワード／給与支給の三原則（通貨払の原則・直接払の原則・全額払の原則）　重複給与の支給の禁止

【問題】職員の給与の支給に関する次の記述のうち、妥当なものはどれか。

❶　職員の給与は、直接職員に対して支払わなければならず、職員以外の者に支払うことは、職員の預金口座への振替支出による場合以外は、給与請求権の譲渡につながることから、たとえ職員の家族であっても、認められない。
❷　職員の給与は、臨時に支払われる給与、賞与等を除き、毎月１回以上、一定の期日を定めて支払うこととされており、例えば毎月第３水曜日に支払うとするようなことも可能である。
❸　職員の給与請求権は、その権利を行使しうるときから５年間（当分の間は３年間）行使しないときに、時効により消滅することから、給与の支払期日から当該期間を経過した後は、給与を支払うことはできない。
❹　職員の給与については、通貨払の原則が定められており、職員の給与は、常に通貨で支払われなければならない。
❺　職員が他の一般職の職員の職を兼ねている場合に、兼務の職に対しては給与を支給することはできないのが原則であるが、特別の事情がある場合には、任命権者は、人事委員会の承認を得て、兼務の職に対して給与を支給することができる。

解説
❶　誤り。職員の家族への支払は職員の使者と観念されることにより条理上認められることがありうる。また、職員の預金口座への振替支出による給与の支払は直接払の範囲に属するとされている（25条２項）。
❷　誤り。毎月第３水曜日というのは一定期日を定めたことにはならない。
❸　正しい。給与請求権の時効については労働基準法115条及び附則143条（なお、2020年４月より消滅時効期間が２年間から設問のとおりに改正）参照。また、時効完成後に給与の支払をすることは、請求権は消滅しているので、違法となる。
❹　誤り。職員の給与の支払については通貨払の原則が定められているが、条例で特例を定めることが認められ、現物給付も可能である（25条２項）。
❺　誤り。設問のような例外は認められていない（24条３項）。

【正解　❸】

勤務時間

「勤務時間」とは、職員が地方公共団体のために役務を提供すべき時間をいう。執務開始前の朝礼やミーティング、執務終了後の掃除や片付けについては、これらが義務的なものであれば、勤務時間に含まれる。また、職務命令に基づいて研修、教育活動等に参加する時間も勤務時間となる。

勤務時間も、勤務条件の１つであり、したがって、条例主義に基づき、条例により定めることとされている。

勤務時間について、職員は、労働基準法の次の規定の適用を受ける。

⑴ 勤務時間は、休憩時間を除き、１週間について40時間、１日について８時間を超えてはならない（労働基準法32条）。地方公共団体では、条例で日曜日及び土曜日が閉庁日とされ、月曜日から金曜日までの５日間に１日７時間45分の勤務時間が割り振られているのが通例である。ただし、交替制で勤務する職員の職務等、勤務時間を一律に上記のように定めることが実情に合わない職務もあることから、１か月以内の一定の期間を平均して１週間当たりの勤務時間が40時間を超えないときは、１日について８時間、１週間について40時間を超える勤務時間の定めをすることができる（同32条の２）。

⑵ ①非現業の官公署に勤務する職員については、公務のため臨時の必要がある場合には、正規の勤務時間を超えた勤務（時間外勤務）又は休日労働を命じることができる（同33条３項）。②地方公営企業・特定地方独立行政法人の職員等の①以外の職員については、その事業場の過半数の職員で組織する労働組合等（それがない場合は、職員の過半数を代表する者）との書面協定で労働基準監督機関に届け出たもの（三六協定）がある場合には、時間外勤務等を命じることができる（同36条）。三六協定がない場合でも、災害等により臨時の必要がある場合には、時間外勤務を命じることができる（同33条１項）。以上の場合には、時間外勤務手当が支給される（同37条）。

⑶ ①管理監督職員又は機密事務に従事する職員、②守衛、庁用自動車の運転等の監視又は断続的勤務に従事する職員で労働基準監督機関の許可を受けたもの等については、勤務時間に関する労働基準法の規定が適用されない（同41条）。

■関係法条／地方公務員法24条４・５項　労働基準法32条、32条の２、33条１・３項、36条、37条、41条
◉キーワード／勤務時間　条例主義

【問題】職員の勤務時間に関する次の記述のうち、妥当でないものはどれか。

❶　職員の勤務時間を定めるに当たっては、国及び他の地方公共団体の職員との間に権衡を失しないように適当な考慮が払われなければならないが、民間企業の従業者との権衡までは規定されていない。
❷　職員は、原則として、勤務時間のすべてをその職責遂行のために用いなければならない。
❸　職員が勤務時間中に選挙権その他の公民権を行使することを請求した場合は、任命権者はこれを拒むことも、時刻を変更することもできない。
❹　生後満１年に達しない生児を育てる女子職員は、任命権者の承認を得て、勤務時間中にその生児を育てる時間を利用することができるが、任命権者は、その申出を拒否することができない。
❺　一般職の職員の勤務時間その他の勤務条件は条例で定めなければならず、それらに関する事項を全面的に規則で定めるよう条例で委任することはできない。

解説

❶　正しい。均衡の原則は、国と他の地方公共団体の職員との間の均衡を求めるものである（24条４項）。
❷　正しい。職務専念義務である（35条）。
❸　誤り。任命権者は、この請求を拒むことはできないが、公民権の行使に妨げがない限り、請求された時刻を変更することはできる（労働基準法７条）。
❹　正しい。任命権者は、育児時間の申出を拒否できず、育児期間中は、その女性を使用してはならない（労働基準法67条）。
❺　正しい（24条５項、昭和27年11月18日行実）。

【正解　❸】

休憩・休日

1　休憩

地方公務員の休憩については、労働基準法の規定が適用される。

「休憩」とは、勤務時間の途中に、職務に伴う疲労の回復等のため、一切の勤務から離れることができる時間をいう。休憩は、勤務時間が６時間を超える場合には45分以上、８時間を超える場合には１時間以上を、勤務時間の途中に設けなければならない。また、休憩時間は、原則として一斉に与えられるとともに（一斉付与の原則）、職員に自由に利用させなければならない（自由利用の原則）（労働基準法34条）。

なお、これに対し、「休息」は、勤務から離れることができる時間であって、労働基準法の休憩時間の基準を超えるものをいう。

2　休日

地方公務員の休日についても労働基準法の規定が適用される。

「休日」とは、労働基準法では、労働者が労働義務を負わない日をいう。国家公務員の一般職の場合、この休日に相当して職員に勤務時間が割り振られない日のことを「週休日」といい（一般職の職員の勤務時間、休暇等に関する法律６条）、一般に、地方公共団体においても、職員の勤務時間等を定める条例において、この週休日の語が用いられている。

週休日は、毎週少なくとも１回、又は４週間を通じ４日以上、与えられなければならない（労働基準法35条）。通常、条例により、週休日は、原則として日曜日及び土曜日とされている。また、公務の運営の事情により、これと異なる日を週休日とすることや、週休日を他の日に振り替えて日曜日又は土曜日に勤務させ得ることを条例で定めることは、上記の規定に反しない限り、認められる。なお、58頁の勤務時間の(2)・(3)と同様の特例が定められている。

国家公務員の一般職の場合、勤務時間が割り振られるが、勤務が免除される日を「休日」といい、地方公共団体においても、一般に、職員の勤務時間等を定める条例において、この休日の語が用いられている。具体的には、国民の祝日に関する法律に定める休日や年末年始の休日等がある。

なお、地方自治法４条の２の閉庁日を指す「休日」と、職員の勤務を要しない日という意味の「休日」は必ずしも一致するものではない。

■関係法条／地方公務員法24条５項　労働基準法34条、35条
◉キーワード／休憩　一斉付与の原則　自由利用の原則　週休日　休日

【問題】職員の休憩、休日に関する次の記述のうち、妥当でないものはどれか。

❶　職員には労働基準法の規定が適用されるが、勤務時間については条例で定めることとされていることから、労働基準法の基準を下回る休憩時間や週休日を条例で定めることも認められる。

❷　一般職の非現業の職員については、公務上臨時の必要があるときに限り休日に勤務させることができるものとされているが、監督若しくは管理の地位にある職員又は機密の事務に従事する職員の休日勤務についてはそのような限定はない。

❸　休憩時間については、原則として、職員に自由に利用させなければならないだけでなく、一斉に与えなければならないものとされているが、休息時間とは異なり、勤務時間に含まれない。

❹　職員は、年次有給休暇についてその請求した時季に取得する権利を有しているが、任命権者は、職務に支障があれば、その請求の時季を変更することもできるのに対し、休暇の目的による時季変更をすることはできない。

❺　任命権者は、勤務時間が６時間を超える場合には少なくとも45分、８時間を超える場合には少なくとも１時間の休憩時間を与えなければならず、この休憩時間は、必ず勤務時間の途中に与えなければならないが、一斉付与については例外も認められている。

解説

❶　誤り。職員の勤務時間については労働基準法の規定が適用されることから、同法の基準を下回る勤務時間等を定めることは認められない。

❷　正しい。管理・監督等の地位にある職員等には労働基準法の休日に関する規定は適用されない（労働基準法33条３項、41条）。

❸　正しい。前段については、労働基準法34条２・３項参照。後段については、休憩は、休息とは異なり、勤務時間に含まれない。

❹　正しい（労働基準法39条４項、最高裁昭和62年７月10日判決）。

❺　正しい。休憩は労働時間の途中に与えるものとされるが、一斉付与には例外が認められている（労働基準法34条１・２項）。　【正解　❶】

休暇

「休暇」とは、本来は勤務すべき日であるが、特別の事由・条件により、法律・条例に基づいて、職務専念義務が免除される日をいう。休暇は、職員の勤務時間等を定める条例において国家公務員の一般職に準じて⑴年次有給休暇、⑵病気休暇、⑶特別休暇、⑷介護休暇が定められるのが通例である。職員の休暇は、条例で定めなければならないが（地方公務員法第24条第５項）、この条例を定めるに当たっては、年次有給休暇その他について労働基準法で定める基準を下回ってはならない。

休暇の種類とその概要は、次のとおりである。

⑴**年次有給休暇**　事由を限らずに与えられる休暇である。年次有給休暇は、労働基準法の規定により、職員に与えられる。職員から請求があった場合は、任命権者は、その請求する時季に与えなければならないが、請求どおりに休暇を与えることが公務の正常な運営を妨げる場合には、他の時季に与えることができる（時季変更権）。

⑵**病気休暇**　職員が負傷又は疾病のために療養する必要がある場合の休暇である。なお、女性職員には労働基準法68条により生理休暇（生理日の就業が著しく困難な女性が請求した場合の休暇）も認められている。

⑶**特別休暇**　公民権の行使（労働基準法７条）、産前産後（同法65条）、育児時間（同法67条）の休暇のほか、結婚、交通機関の事故、親族の葬儀など特別の事由により職員が勤務しないことが相当な場合の休暇である。特別休暇は、地方公務員法第24条第５項の条例及びその委任に基づく人事委員会規則（人事委員会を置かない地方公共団体は任命権者の規則）で具体的に定められる。出産・育児に関わるものの概要は次のとおり。

①産前産後休暇　女性職員は、産前６週間（多胎妊娠の場合14週間）について勤務しないことができる。産後８週間は勤務することはできない（ただし、産後６週間を経過した女性が請求した場合において、医師が支障がないと認めた業務に就かせることは可能）。

②育児時間　小学校就学の始期に達するまでの子を養育する職員について、正規の勤務時間の始め又は終わりに１日につき２時間以内で勤務しないことができる。

⑷**介護休暇**　次の休業の項を参照されたい。

■関係法条／地方公務員法24条５項　労働基準法39条
◉キーワード／年次有給休暇　時季変更権

【問題】休暇に関する次の記述のうち、妥当なものはどれか。

❶　職員の休暇については条例で定めなければならないが、この条例を定めるに当たっては、労働基準法で定める基準を下回ってはならない。
❷　年次有給休暇は、６か月間継続して勤務し、その勤務すべき日の８割以上勤務した常勤の職員に対してのみ与えられる。
❸　年次有給休暇の時季変更権の行使については、業務の正常な運営を阻害するかどうかということのほか、休暇の目的が正当かどうかを考慮して判断されるものである。
❹　病気休暇について、給与条例の定めるところにより有給とされた場合には、特殊勤務手当、通勤手当等の手当も、その職務の遂行あるいは職務に関連する事実を実際には欠いていたとしても、支給されることになる。
❺　出産予定の女子職員は出産の翌日から８週間産後休暇を取得することができるが、医師が支障ないと認めるときは産後休暇を取得しないこともできる。

解説

❶　正しい。その場合、条例で労働基準法に反する定めをすることはできない。
❷　誤り。短時間勤務職員や非常勤の職員についても、所定の年次有給休暇は与えられる。
❸　誤り。休暇の目的による変更権の行使は無効とされる（最高裁昭和62年７月10日判決）。
❹　誤り。その場合には手当の支給に関する所定の要件を欠くことになるのであるから、当然に支給されないことになる。
❺　誤り。産後休暇についてはその請求の有無にかかわらずその期間の就業が禁止される。なお、産後休暇は出産の日の翌日から８週間を経過する日までの期間が原則であるが、産後６週間を経過した者が就業を申し出た場合で、医師が支障がないと認めた業務に就くときは、それまでの期間が産後休暇となる（労働基準法65条２項）。　【正解　❶】

休業

地方公務員法は、部分休業制度として修学部分休業（26条の２）と高齢者部分休業（26条の３）、休業制度として自己啓発等休業（26条の５）、配偶者同行休業（26条の６）を定め、このほか、別に法律に定めるところにより、育児休業、介護休業及び大学院就学休業がある。

修学部分休業は大学等での修学のため条例で定める期間（上限２年）の範囲内において、高齢者部分休業は条例で定める日から定年退職日まで期間（上限５年）の範囲内において、任命権者の承認により、それぞれ１週間の勤務時間の一部について勤務しないことを認めるものであり、自己啓発等休業は条例で定める期間（上限３年）の範囲内において休業することを認めるものである。これらの休業をした場合、給与が減額され又は支給されない。

育児休業及び介護休業（介護休暇）については、地方公務員の育児休業等に関する法律に基づき、３歳未満の子を養育する職員は育児休業、小学校就学の始期に達するまでの子を養育する職員は育児短時間勤務又は部分休業を取得することができ、また、育児休業、介護休業等育児又は家族介護を行う労働者の福祉に関する法律に基づく介護休業と介護休暇を取得することもできる。育児休業については、男女とも仕事と育児を両立できるように、出生時育児休業制度（いわゆる産後パパ育休制度）の創設や育児休業の２回までの分割取得、雇用環境整備、個別周知・意向確認の措置の義務化などの制度拡充が行われている。出生時育児休業制度とは、男性の育児休業促進のために、子の出産直後の時期（子の出生後８週間以内）に４週間まで取得することができる制度で、具体的には、①休業の申出期限については、従来の育児休業（１月前）よりも短縮し、原則として休業の２週間前までとする、②分割して取得できる回数を２回とする、③労使協定を締結している場合に、労働者と事業主の個別合意により、事前に調整したうえで休業中に就業することを可能とするものである。介護休業についても、取得可能期間（３か月）の分割取得が可能である。

なお、会計年度任用職員の創設に伴い、会計年度任用職員の育児休業については、地方公務員の育児休業等に関する法律が適用され、対象となる職員の要件等を条例で定めることが必要とされている。

■関係法条／地方公務員法26条の２～26条の５　地方公務員の育児休業等に関する法律　育児休業、介護休業等育児又は家族介護を行う労働者の福祉に関する法律

◉キーワード／育児休業　育児短時間勤務　部分休業　介護休業（介護休暇）　修学部分休業　高齢者部分休業　自己啓発等休業　配偶者同行休業

【問題】休業・部分休業に関する次の記述のうち、妥当なものはどれか。

❶　部分休業又は休業をした場合には、その間は職務に従事しないため、ノーワーク・ノーペイの原則により、その期間は給与が減額して支給され、又は支給されない。

❷　修学部分休業及び高齢者部分休業は、人事委員会（人事委員会が設置されていない地方公共団体にあっては任命権者）の承認を得て取得することができる。

❸　修学部分休業の期間については、人事委員会規則において取得できる期間の上限を定めることとされている。

❹　育児休業については、取得できる職員は、臨時的任用職員その他の任期付職員及び非常勤職員以外の職員に限られている。

❺　自己啓発等休業及び配偶者同行休業については、職員が申請した場合において公務の運営に支障がないと認めるとき等に取得でき、職員が休職等の処分を受けた場合であっても、任命権者に取り消されるまでは有効である。

解説

❶　正しい（26条の２第３項、26条の５第２項・第３項等）。

❷　誤り。修学部分休業及び高齢者部分休業は、任命権者の承認を得て取得することができる（第26条の２第１項及び第26条の３第１項）。

❸　誤り。条例で定める期間とされている（第26条の２第１項）。

❹　誤り。一般職の非常勤職員である会計年度任用職員も地方公務員の育児休業等に関する法律が適用され、一定の要件のもとで育児休業が取得できる。

❺　誤り。職員が休職又は停職の処分を受けた場合には、当然に効力を失う（26条の５第４項等）。

【正解　❶】

労働基準法の適用

1　職員の労働基準法の適用関係

職員については、基本的に労働基準法が適用される（同法112条）一方、労働基準法の中から、地方公務員制度に適合しないと考えられる規定が特定されて、適用除外とされている（地方公務員法58条３項）。適用除外とされる規定としては、労使が対等で労働条件を決定するとの規定（労働基準法２条）、労使協定によるフレックスタイムに関する規定（同法32条の３）等の労使協定を前提とした規定、業務上の災害に対する補償の規定（同法75～88条）、就業規則に関する規定（同法89～93条）等がある。これらの規定が適用除外とされるのは、その内容が法律、条例等で定まっていること、職員団体と当局とは団体協約を締結することができないこと等を理由とするものである。

労働契約法、最低賃金法、パート労働法等も職員には適用されない。

他方、適用される規定としては、次のようなものがある。

⑴　国籍による差別の禁止（労働基準法３条）、強制労働の禁止（同法５条）、公民権の行使の保障（同法７条）等

⑵　平均賃金の規定（労働基準法12条。解雇予告手当の基礎、休業手当の計算の基礎、年次休暇中に支払われる賃金の計算の基礎等になる。）

⑶　労働契約に関する規定については、解雇制限の規定（労働基準法19条）、解雇予告の規定（同法20条）、金品の返還（同法23条）等の適用がある。

⑷　労働時間、休憩、休日及び年次有給休暇に関する規定（労働基準法32条等）については、原則として適用される。

⑸　労働基準監督機関の職権については、人事委員会を置く地方公共団体では人事委員会又はその委任を受けた委員、それ以外の地方公共団体ではその長が行使する。

2　現業職員等の労働基準法の適用関係

現業職員及び地方公務員災害補償法の適用を受けない職員（臨時職員等）については、適用除外とされた規定の一部を再度適用することとしている（地方公務員法58条３項ただし書）。なお、労働基準監督機関については、船員では船員労務官、船員以外での現業職員等では、労働基準監督署長となる。

■関係法条／労働基準法112条
◉キーワード／労働基準法の適用　労働基準法の適用除外規定

【問題】労働関係法律の地方公務員への適用に関する次の記述のうち、妥当なものはどれか。

❶　使用者が労働者を解雇しようとするときには少なくとも30日前に予告しなければならないとする労働基準法の解雇予告に関する規定は職員にも適用されるが、懲戒免職処分の場合には、職員本人の責任を問うものであるから、同法の解雇の予告に関する規定は適用されない。
❷　最低賃金法の規定は、職員に対しても適用があり、職員に対しては、同法が定める最低賃金額以上の給与が支払われなければならない。
❸　労使協定によるフレックス・タイム及び裁量労働制に関する労働基準法の規定は、職員にも適用があり、任命権者と職員ないし職員団体との協定で定めることにより、それらを採用すること可能である。
❹　時間外勤務又は休日勤務については労働基準法の適用があり、任命権者は、いわゆる三六協定を結んでいる場合に限り、職員を時間外又は休日に勤務させることができる。
❺　女性保護に関する労働基準法の規定は、職員にも適用があり、生後満１年に達しない生児を育てる女性が同法の規定により育児時間を請求したときは、当該育児時間中は、その女性を使用してはならない。

解説
❶　誤り。分限免職処分だけでなく、懲戒免職処分の場合にも、労働基準法の解雇の予告に関する規定が適用される。
❷　誤り。最低賃金法の規定は職員に対しては適用されない（58条１項）。
❸　誤り。フレックス・タイム及び裁量労働制に関する規定については、職員に関しては適用除外とされている（58条３項）。ただし、フレックス・タイム又は裁量労働を勤務時間に関する条例で定めることは可能である。
❹　誤り。その場合、三六協定の部分は適用されない（58条４項）。また、災害の場合又は非現業官公署の職員について公務上臨時の必要が生じたときは、時間外又は休日に勤務させることができる（労働基準法33条１・３項）。
❺　正しい（労働基準法67条）。　【正解　❺】

判例チェック

(年休の時季変更権について)
白石営林署事件：最高裁昭和48年3月2日判決民集27巻2号191頁
電電公社弘前電報電話局事件：最高裁昭和62年7月10日判決民集41巻5号1229頁
(定期昇給の処分性について)
昇給延伸処分無効確認事件：最高裁昭和55年7月10日判決民集130号193頁
(給与条例主義について)
昼窓手当事件：最高裁平成7年4月17日判決民集49巻4号1119頁
非常勤職員賞与：最高裁平成22年9月10日判決民集64巻6号1515頁

新要点演習
地方公務員法

第4章

分限・懲戒

（概観）

1　総論

地方公務員法は、法律又は条例に定める事由によらなければ、職員の身分保障を奪うことはできないこととし（27条2項）、公務員に強い身分保障を与えている。他方、民間部門においては、契約自由の原則に基づき、期間の定めのない雇用については、いつでも解約の申入れをすることができることとなっている（民法627条）。民間部門における労働契約については、判例法理において解雇権の濫用は認められないこととされ、これが法律上明文で確認されている（労働契約法16条）ものの、契約自由の原則の下に成り立っている民間部門の労働者と、強い身分保障を与えられている公務員とは、基本的な考え方において対照的である。

さらに、公務員については、職員に不利益な分限処分・懲戒処分の事由が法律及び条例で定める場合に限定されているだけでなく、不当な分限処分・懲戒処分が行われた場合の不利益処分に対する審査請求の制度（49条の2）が用意されており、その上で違法な分限処分・懲戒処分について行政事件訴訟法に基づき出訴することも認められる。公務員の身分保障は、このように二重・三重のものとなって保障されている。

公務員の身分保障の関係で特に重要なのは、分限処分と懲戒処分である。分限処分は公務の能率の維持及びその適正な運営の確保を目的としているのに対し、懲戒処分は職員の職務上の義務違反や非行に対する責任を問うことにより、公務の規律と秩序を維持することを目的としている。なお、「分限処分」とは別に単に「分限」という用語が用いられることがある（例えば、27条1項）が、これは職員の身分保障を前提として、公務能率の観点からその地位・身分に変化をもたらす事項の総称としての意味を有している。なお、地方公務員法は、定年制を、一定の年齢に到達したことを理由として職員の身分を失わせる制度であるという点で「分限」としている。

2　公正の原則

地方公務員法27条1項は、すべて職員の分限及び懲戒は、公正でなければならないことを規定している。

個々の分限及び懲戒が公正であるかどうかは、個々の事案について具体的に判断せざるを得ないものであるが、特に問題となるのは、①処分事由となる事項に比べ処分の内容が過酷なものとなっていないか、②行われようとする処分が既に行われた処分と比べて均衡がとれているかの２点である。

これらの判断は、任命権者の裁量による部分が大きいことは確かであるが、仮にこれらの観点から不当な処分であると解されるときは、不利益処分に対する審査請求の対象となり、重大な違反があれば、行政事件訴訟の対象ともなりうるものである。また、特に②については、行政法の一般原則ともされる比例原則だけでなく、平等取扱いの原則との関係も問題となりうる点に留意しておきたい。

3　離職

「離職」とは、職員がその身分を失うことをいう。

職員がその身分を失う場合としては、①職員の自発的な辞職（依願退職）、②死亡退職、③懲戒免職、④分限免職、⑤定年、⑥欠格事由に基づく失職、⑦任用期間の満了といったものが考えられるが、地方公務員法では、これらの離職を統一的に定めるような規定を設けていない。

上記のうち①～④は、行政処分に基づいて行われるものであり、講学上、これらを総称して「退職」と呼ぶ。なお、辞職も、法律上は、職員からの退職の申出に対する同意に基づき、退職の発令という行政処分が行われ、死亡退職も法律効果などから退職に含まれるものと考えられている。

残りの⑤～⑦は、職員が一定の事由に該当することにより、行政処分によらずに当然に離職する場合であり、講学上、これらを総称して「失職」という。なお、定年制を定める地方公務員法28条の２では、「退職」という語が用いられているが、定年の到達の場合には、特段の行政処分が行われることなく、職員の身分が失われるのであり、事柄の性格からすれば、「失職」の場合の１つとして整理されるものである。

また、職員の退職後についても、再就職者による依頼等の規制が導入され、退職管理の適正を確保するための措置が講じられている。

分限処分の意義と種類

1　分限処分の意義

分限処分とは、公務の能率の維持及びその適正な運営の確保のため職員の身分保障を前提としつつ、一定の事由がある場合に、職員の意に反する不利益な身分上の変動をもたらす処分をいう。勧奨による退職など職員の自発的な意思に基づく処分は、職員の意に反する処分とは認められないから、分限処分ではない。また、分限処分は、職員の行為に対して道義的責任を追及する制裁ではないという点で、懲戒処分と異なる。

地方公共団体の行政は、公共の利益のために公平かつ公正に行われなければならない。そのためにはこれに従事する職員の身分が安定したものでなければならず、その身分を強く保障する必要がある。それとともに、地方公共団体の行政は、限られた財源などの資源を有効に活用するため、能率的に行われなければならない。そこで、地方公務員法では、まず、すべて職員の分限は、公正でなければならないことを規定している（27条1項）。そして、その上で、職員の身分保障を前提としつつ、公務能率の維持向上を目的として、法律で定める種類の分限処分について、法律（休職については法律又は条例、降給については条例）で定める事由がある場合に限り、これを行うことができる（27条2項）。

2　分限処分の種類

分限処分には、次の4種類がある。

免　職	職員の意に反してその職を失わせる処分
休　職	職員としての職を保有させたまま、一定期間職務に従事させない処分
降　任	職員を、現在就いている職より下位の職に任命する処分。任用の方法の一つでもある。
降　給	職員の職に変動をもたらさずに、職員の給料を、現に決定されている額よりも低い額に決定する処分。降任に伴う給与の減額は、降給には当たらない。また、減額の期間が定められないという点で、懲戒処分として行われる減給処分とは異なる。

なお、条件付採用期間中の職員及び臨時的任用職員については、分限処分の種類及び事由並びに審査請求を定める地方公務員法の規定や行政不服審査法の規定の適用がなく、条例で必要な事項を定めることができるとしている（29条の2）。

■関係法条／地方公務員法27条、28条、29条の２
◉キーワード／職員の意に反する不利益な処分　免職・休職・降任・降給

【問題】職員の分限処分に関する次の記述のうち、妥当なものはどれか。

❶　職員は、地方公務員法で定める事由による場合でなければ、分限免職されず、条例で定める事由による場合でなければ、分限降任されることがない。

❷　任命権者は、職制若しくは定数の改廃又は予算の減少により廃職又は過員を生じた場合、職員を分限休職することはできるが、分限免職することはできない。

❸　任命権者は、職員の勤務実績が良くない場合、これを分限降任又は降給することはできるが、分限免職することはできない。

❹　任命権者は、登録を受けた職員団体の役員としてもっぱら従事することについて任命権者の許可を受けた職員が、刑事事件に関し起訴された場合、分限休職することはできない。

❺　分限処分による降任、免職、休職及び降給の手続及び効果は、法律に特別の定めがある場合を除くほか、条例で定めなければならない。

解説

❶　誤り。職員は、地方公務員法で定める事由による場合でなければ、分限免職及び降任をされず、法律又は条例で定める事由による場合でなければ休職されず、条例で定める事由によらなければ降給されない（27条２項）。

❷　誤り。任命権者は、職制若しくは定数の改廃又は予算の減少により廃職又は過員を生じた場合には、分限免職をすることができる。

❸　誤り。任命権者は、職員の勤務実績が良くない場合に、これを分限免職又は分限降任にすることができる（28条１項）。

❹　誤り。任命権者は、登録を受けた職員団体の役員としてもっぱら従事することについて任命権者の許可を受けた職員が刑事事件に関し起訴された場合でも、分限休職にすることができる。

❺　正しい（28条３項）。　　【正解　❺】

分限処分の事由と手続

1　分限処分の事由

分限処分は、職員の身分保障の観点から、条件付採用期間中の職員及び臨時的任用職員を除き、次の表に示す地方公務員法に定める事由によらなければ行うことができない。

免職・降任	①　勤務実績が良くない場合 ②　心身の故障のため、職務の遂行に支障があり、又はこれに堪えない場合 ③　①・②のほか、その職に必要な適格性を欠く場合 ④　職制若しくは定数の改廃又は予算の減少により廃職又は過員を生じた場合
休職	①　心身の故障のため長期の休養を要する場合 ②　刑事事件に関し起訴された場合 ③　条例で定める事由がある場合
降給	条例で定める事由がある場合（なお、実際には、現在この条例を定める地方公共団体はなく、降給処分は、行われていないのが現状である。）

なお、降任に伴い給料の下がるのは降給ではない。

2　分限処分の手続

分限処分は、職員の意に反する不利益な処分であるが、行政手続法の適用は受けない。地方公務員法上、その手続及び効果については、法律に特別の定めがある場合のほかは、条例で定めなければならないとされている（28条3項）。法律に規定されている事項としては、職員に対する処分の事由を記載した説明書の交付義務、人事委員会又は公平委員会に対する審査請求ができる旨及び審査請求期間の教示等がある（49条1・4項）。このほか、条例に定めるべき事項としては、心身の故障による降任、免職又は休職の場合の医師の診断、休職の期間、休職中の給与等がある。

職員には労働基準法の労働者の解雇に関する規定が適用されるため、分限免職については、①任命権者は、少なくとも30日前にその予告をしなければならないこと（労働基準法20条）、②職員が公務災害により療養のために休養する期間とその後30日間及び女性職員が労働基準法に定められた産前産後休業する期間とその後30日間は分限免職することができないこと（同法19条）などの規定の適用がある。

■関係法条／地方公務員法27条２項、28条１～３項、29条の２、44条１・４項　労働基準法19条、20条

◉キーワード／分限処分　処分説明書　審査請求の教示

【問題】職員の分限処分に関する次の記述のうち、妥当なものはどれか。

❶　分限処分は、主として公務における紀律と秩序の維持を目的として行われ、このうち免職は地方公務員法に定める事由に当たる場合に限定されるが、降任、休職、降給は、条例で定める事由で行うことができる。

❷　降任処分に伴い給料が低くなることや人事異動に伴い職務や責任の変更により給料が低くなることも降給処分に当たる。

❸　分限処分を行うに際しては、任命権者は職員に対し処分の事由を記載した説明書を交付しなければならないが、この説明書の交付が処分辞令よりも遅れてなされたとしても、当該処分の効力に影響を与えない。

❹　職制若しくは定数の改廃又は予算の減少により廃職又は過員を生じた場合は、その意に反して職員を降任することができるが、免職することはできず、他の職への配置転換をしなければならない。

❺　職員が刑事事件に関し起訴され、分限処分としての休職処分を受けた場合、当該職員は、職員としての身分は保有するが、心身の故障のため長期の療養を有する場合の休職処分と異なり、職は保有しない。

解説

❶　誤り。分限処分のうち免職と降任は地方公務員法に定める事由に限定されるが、休職は、同法のほか条例で定める事由でも行うことができる。また、降給は、条例事由とされている。

❷　誤り。降任処分に伴い給料が低くなることや人事異動に伴い職務や責任が変更になり給料が低くなることは、降給処分に当たらない。

❸　正しい。同時交付が原則だが、遅れても効力に影響はない。

❹　誤り。職制若しくは定数の改廃又は予算の減少により廃職又は過員を生じた場合、その意に反して免職又は降任にすることができる。

❺　誤り。刑事事件に関し起訴され、分限処分としての休職処分を受けた職員は、職員としての職を有する。　【正解　❸】

懲戒処分の意義と種類

1　懲戒処分の意義

懲戒処分とは、任命権者が、職員の義務違反や非行に対する責任を問うための制裁として行う不利益処分をいい、職員が全体の奉仕者として公共の利益のために勤務する関係にあることを前提に、地方公共団体における規律と公務執行の秩序を維持することを目的とする。

懲戒処分は、職員に対する制裁として行われる不利益な処分であるから、公正に行われなければならず（27条1項）、また、地方公務員法に定める事由がある場合に限り、行うことができる（27条3項）。なお、訓告、始末書の提出、諭旨退職などの措置は懲戒処分ではなく、したがって、法律上は、制裁としての性格を備えたものでないと解されている。

職員が離職した場合には懲戒処分を行うことはできない。ただし、退職出向者の復職後に当該出向前の義務違反や非行について懲戒処分を行うことや、再任用職員の退職前などの義務違反や非行について懲戒処分を行うことはできる（29条2・3項）。

懲戒処分をした職員には、さらに民法上又は地方自治法上の損害賠償を行わせることも可能である。

2　懲戒処分の種類

懲戒処分は、次の4種類に限られる（29条1項）。

免　職	職員からその職を失わせる処分。分限処分の免職とは、退職手当及び退職年金について不利益な取扱いを受ける点並びに懲戒免職を受けた日から2年間は、その地方公共団体の職員となることができない点（16条2号）が異なる。
停　職	一定期間、職員を職務に従事させない処分。分限処分の休職とはその目的を異にすることから、停職処分を受けた者は、停職期間中は給与を支給されず、また、その期間は退職手当の基礎となる期間に算入されない点で異なる。
減　給	一定期間、職員の給料を減額して支給する処分。分限処分の降給とは、給料の基本額を引き下げるものではない点及び一定期間の経過後、自動的に元の給与額に復する点で異なる。
戒　告	職員の義務違反を確認し、その将来を戒める処分

なお、分限処分と異なり、条件付採用期間中の職員及び臨時的任用職員も他の一般職の職員と同様に懲戒処分に関する規定の適用を受ける。

■関係法条／地方公務員法16条３号、27条、29条
◉キーワード／義務違反に対する制裁　免職・停職・減給・戒告

【問題】職員の懲戒処分に関する次の記述のうち、妥当なものはどれか。

❶　職員は、地方公務員法に定める事由による場合でなければ懲戒処分を受けることがないものとされるが、懲戒処分の種類としては、戒告、減給、休職、免職の４つが規定されている。
❷　職員が同一の地方公共団体において任命権者を異にして異動した場合には、前の任命権者の下における義務違反について、後の任命権者が懲戒処分を行うこともできる。
❸　任命権者は、１つの義務違反が懲戒処分の事由と分限処分の事由に該当する場合には、いずれかを行うことはできるが、両方を行うことはできない。
❹　職員に対し懲戒処分を行う場合には、その職員に対し処分の事由を記載した説明書を交付しなければならないが、当該説明書の交付を欠く場合には処分の効力は生じない。
❺　定年退職者が職員として再任用された後に、定年退職者となった日までの引き続く職員としての在職期間中における懲戒事由に該当する事実が発覚した場合には、一度退職している以上、その事実を事由として懲戒処分を行うことはできない。

解説

❶　誤り。懲戒処分の種類については、戒告、減給、停職、免職の４つが規定されている（29条１項）。
❷　正しい。任命権者を異にする異動があっても、勤務関係は当該地方公共団体と職員との間に存在すると考えられるので、前の任命権者の下における義務違反について、後の任命権者が懲戒処分を行うことも可能である。
❸　誤り。懲戒処分と分限処分は目的を異にすることから、両方を行うことも可能とされている。
❹　誤り。説明書の交付は懲戒処分の効力発生要件とはされていない。
❺　誤り。その場合には、定年退職前の職員としての在職期間における事実を懲戒事由として懲戒処分を行うことが認められている（29条３項）。

【正解　❷】

懲戒処分の事由と手続

1　懲戒処分の事由

任命権者が懲戒処分を行うことができるのは、次の場合に限られている。

⑴　地方公務員法若しくは同法の特例を定めた法律（57条。例えば、教育公務員特例法、地方公営企業法、地方公営企業等の労働関係に関する法律）又はこれらに基づく条例、地方公共団体の規則若しくは地方公共団体の機関の定める規程に違反した場合

⑵　職務上の義務に違反し、又は職務を怠った場合

⑶　全体の奉仕者たるにふさわしくない非行のあった場合

なお、これらの場合分けは、相互に排除しあうものではなく重複して該当することも認められるものであり、例えば、１つの非違行為が⑴〜⑶のいずれにも該当するという場合もありうる。

2　懲戒処分の手続

懲戒免職については、分限免職と同様、労働基準法の労働者の解雇に関する規定が職員に適用されるため、①任命権者は、原則として少なくとも30日前にその予告をしなければならないこと（同法19条、20条）、②職員が公務災害により療養のために休養する期間とその後30日間及び女性職員が労働基準法に定められた産前産後休業する期間とその後30日間は、懲戒免職することができないこと（同法19条）等の規定の適用を受ける。ただし、①については、懲戒免職の場合には、職員に帰責事由があることが認められるため、職員の種類に応じて定められている行政官庁の認定を受ければ直ちに免職することができる。

懲戒処分は、分限処分と同様、行政手続法の適用外だが、職員の意に反する不利益な処分であるから、その手続及び効果については、法律に特別の定めがある場合のほかは、条例で定めなければならない（29条４項）。「法律の特別の定め」として、分限処分と同様、職員に対する処分の事由を記載した説明書の交付義務、説明書への人事委員会又は公平委員会に対する審査請求及び審査請求をすることができる期間の教示がある（49条１・４項）。ただし、臨時的任用職員及び条件付採用期間中の職員に対する懲戒処分については、法律上、処分説明書の交付及び審査請求の教示を行うこととはされておらず、行政不服審査法も適用されない（29条の２第１項）。

■関係法条／地方公務員法29条、29条の２第１項、49条
◉キーワード／懲戒処分　処分説明書　審査請求の教示

【問題】職員の懲戒処分に関する次の記述のうち、妥当なものはどれか。

❶　同一地方公共団体の異なる任命権者に属する職を兼職している職員に対しては、いずれの任命権者も懲戒処分を行うことができるが、一方の任命権者が行った懲戒処分は他方の任命権者を拘束しない。

❷　懲戒処分を行うかは任命権者の裁量に任されており、１つの義務違反について２種類以上の処分を併せて行うこともできる。

❸　任命権者は、懲戒処分を行うに当たっては、処分を受ける職員に対して、処分の事由及び審査請求の教示を記載した不利益処分に関する説明書を交付しなければならないが、この説明書の交付の有無は処分の効力に影響しない。

❹　懲戒処分の撤回は、処分を行った任命権者の判断によって行うことができるが、懲戒処分の取消しは、人事委員会又は公平委員会の判定又は裁判所の判決によってのみ行うことができる。

❺　懲戒処分は、分限処分と制度の趣旨が異なるが、処分の効果には共通するものがあり、任命権者は、無給休職中の職員に対して、重ねて減給処分や停職処分を行うことができない。

解説

❶　誤り。一方の任命権者が行った懲戒処分は他方の任命権者を拘束する場合がある。

❷　誤り。１つの義務違反に対して２種類以上の懲戒処分を併せて行うことはできない。

❸　正しい。処分説明書の交付は処分の要件ではないと解されている。

❹　誤り。懲戒処分の取消しや撤回については、処分を行った任命権者が行うことは許されない。例外として、懲戒処分の取消しは、人事委員会又は公平委員会の判定、又は裁判所の判決によって行うことができる。

❺　誤り。給与の支給を受けることなく兼務している職に対しても減給処分を行いうるとする行政実例（昭和31年３月20日）がある。【正解　❸】

定年制・再任用制度

1　定年制

定年制とは、職員が一定の年齢に達した場合に、本人の意思にかかわらず自動的に退職させる制度である。定年制が設けられている理由としては、①職員の新陳代謝の円滑化により組織の活力を維持し行政を能率的に運営すること、②所定の年齢までの勤務を保障することにより職員が安心して公務に専念できるようにすること等が挙げられる。

このような理由から、新たに役職定年制（管理監督職勤務上限年齢制）が設けられた（令和５年４月１日施行）。役職年齢の対象範囲及び役職定年年齢は、国家公務員との権衡を考慮した上で、条例で定めることとしている（役職年齢の対象範囲は管理職手当の支給対象となっている職、役職定年年齢は60歳を基本）。ただし、職員の年齢別構成等の特別の事情がある場合には、条例で例外措置を講ずることができる。

また、職員は、定年に達した日以後における最初の３月31日までの間において、条例で定める日に退職する。定年は、国の職員の定年（60歳から段階的に65歳に引上げ）を基準として条例で定めるものとされている。ただし、国の職員の定年を基準として定めることが実情に即さないと認められるときは、当該職員の定年については条例で別の定めをすることができる。なお、法律により任期を定めて任用される職員（臨時的任用職員、任期付職員など）等には定年制は適用されない（28条の４・28条の６）。

退職により公務の運営に著しい支障が生ずると認められる十分な理由があるときは、条例で定めるところにより、１年を超えない範囲内で定年を延長することができる。この期限は、１年を超えない範囲内で延長することができ、最長３年間継続して勤務させることができる（28条の７）。

2　再任用制度（定年前再任用短時間勤務制←定年退職者再任用廃止）

60歳に達した後定年前に退職した者（条例年齢以上退職者）は、従前の勤務実績等に基づく選考により、定年退職日までの間において、短時間勤務の職に採用することができる。この任期は更新することができず、また、常時勤務を要する職に昇任等をさせることもできない（22条の４）。地方公共団体とその地方公共団体が組織する組合との間においても同様に、条例年齢以上退職者を短時間勤務の職に採用することができる（22条の５）。

■関係法条／地方公務員法28条の２～28条の６　国家公務員法81条の２第２項

◉キーワード／行政の能率的運営　身分保障　役職定年制　定年延長　再任用制度

【問題】定年制等に関する次の記述のうち、妥当なものはどれか。

❶　役職定年制の対象となる職員は、管理職、非管理職を問わず全ての職員であり、任期付職員も対象となる。

❷　管理監督職勤務上限年齢に達している者については、管理監督職勤務上限年齢に達した日の翌日から最初の４月１日までの期間（異動期間）の翌日以後、新たに管理監督職に就けることはできない。

❸　職務の特殊性や欠員補充の困難性がある職の場合であっても、管理監督職勤務上限年齢制の適用除外又は管理監督職勤務上限年齢の例外の措置をとることはできない。

❹　他の職に異動することで公務の運営に 著しい支障が生ずる場合には、１年に限り異動期間を延長し、引き続き管理監督職を占めたまま勤務させることができる。

❺　条例年齢以上退職者（条例で定める年齢に達した日以後に退職した者）を短時間勤務の職に採用することができるが、この職員の勤務実績等によっては、常時勤務を要する職に任用することも可能である。

解説

❶　誤り。役職年齢の対象範囲は管理職手当の支給対象となっている職及びこれに準ずる職であって条例で定める職とされ、また、役職定年制については任期付職員は対象外である（28条の２第１項及び28条の４）。

❷　正しい（28条の３）。

❸　誤り。設問の場合のような例外の措置を条例で設けることができる。ただし､国家公務員等との権衡を考慮する必要（28条の２第１項～３項)。

❹　誤り。１年単位で異動期間を再延長することができる（28条の５第１項又は第３項)。

❺　誤り。定年前再任用短時間勤務職員を常時勤務を要する職に任用することはできない（22条の４第５項)。

【正解　❷】

判例チェック

（退職願の撤回について）
退職願の撤回の可否：最高裁昭和34年6月26日判決民集13巻6号846頁
（失職の効力について）
最高裁平成元年1月17日判決集民156号1頁
（懲戒権者の裁量について）
伝習館高校事件：最高裁平成2年1月18日判決民集44巻1号1頁
君が代起立斉唱拒否訴訟：最高裁平成24年1月16日判決集民239号1頁
（再任用の拒否について）
君が代起立斉唱拒否訴訟（再任用拒否事件）：最高裁平成23年5月30日判決民集65巻4号1780頁

新要点演習
地方公務員法

第5章

服務

- （概観）
- 法令等及び上司の職務上の命令に従う義務
- 信用失墜行為の禁止
- 秘密を守る義務
- 秘密事項の発表
- 職務専念義務
- 政治的行為の制限
- 営利企業への従事等の制限
- 退職管理

- 判例チェック

（概観）

1　服務の根本基準

地方公務員法30条は、地方公務員の服務の根本基準として、①全体の奉仕者として公共の利益のために勤務しなければならないこと（全体の奉仕者性）、②職務の遂行に当たっては、全力を挙げてこれに専念しなければならないこと（職務専念義務）を定める。この規定は精神的・倫理的規定だが、この規定を根本基準として、法令等又は上司の職務命令に従う義務、信用失墜行為の禁止、秘密を守る義務、勤務時間中にその職務に専念すべき義務、政治的行為の制限、争議行為の禁止、営利企業への従事等の制限といった具体的な義務・制限が課されている。

これらの義務・制限は、職員の職務遂行にのみ課されるものではなく、全体の奉仕者としての職員の身分に対する信用の維持を理由として職務外の行為にも課されうるものである。つまり、職員が私生活において、犯罪行為などの公務員としてふさわしくない行為を行った場合であっても、服務上の義務違反となり、懲戒処分が課される場合がある。特に最近では、国民に職務の遂行に対する疑念を生じさせないようにすることを目的として、倫理の保持が強くいわれ、国家公務員倫理法が制定されたほか、地方公共団体においても倫理規程が制定されている。

この２つの服務の根本基準は、職員に対して具体的に課されている服務規定の根拠となっているものである。しかし、これらの根本基準自体は、精神的・倫理的性格の強いものであると解されている。したがって、具体的な服務違反を問うことなく、この２つの服務の根本基準に違反したことのみを理由として懲戒処分をすることはできないと解されており、また、これらの根本基準の違反行為に対して刑罰を科する規定も設けられていない。

なお、本書では、争議行為等の禁止については、労働基本権の章で論じることとする。

2　全体の奉仕者

１の服務の根本基準のうち①は、「すべて公務員は、全体の奉仕者であつて、一部の奉仕者ではない。」と規定する憲法15条２項を受けている。その意味するところの１つは、地方公務員に限らず、すべての公務員は、国民主権原理の下において国民・住民全体に奉仕すること及びその奉仕により国民・住民全体の利益が増進することをその使命としなければならないということである。

これは、国民主権の下における公務員のあり方として当然のものである。また、これと併せて、①の根本基準は、公平であるべき行政の運営を担当する一般職の職員は、一部の政党又は政治的団体に偏することなく政治的に中立の立場を保つべきことも意味している。政治的行為の制限や争議行為の禁止は、こうした根本基準を背景として規定されているものである。

ここでいう「公共の利益」とは、憲法上の公共の福祉と同義であると解されているが、その具体的な定義はされていない。公共の利益が何を指すかは社会の実態に即して、総合的に、また、場合によっては相対的に判断されなければならないものである。民間企業は利益その他の特定の目的を追求する組織であり、その事務の成果は利益の多寡で測ることができるが、他方で、地方公共団体は公共の利益という総合的、複合的目的を追求する組織であるため、その事務の成果、すなわち、その事務によって公共の利益が増進したかどうかは一概にはいえないことが多く、多元的な観点から総合的に判断しなければならない。これを政策として判断する責任を負うのは第一義的には地方公共団体の長その他の執行機関や地方公共団体の議会であるが、職員もまた、より能率的かつ確実に政策を企画・立案し、遂行する責任を負っている。

3　職務専念義務

1の服務の根本基準のうち②は、一般に職務専念義務といわれる。職務専念義務は、行政の適正かつ能率的な運営を確保するため、職員に課された義務であり、これも服務全体における基本的な原則となっている。職務専念義務は、地方公務員法35条において勤務時間中にその職務に専念すべき義務として、より具体的に規定されているほか、法令等又は上司の職務命令に従う義務、営利企業への従事等の制限の根拠の1つとなっている。また、職務専念義務は、職員に対する義務の根拠となっているのみならず、身分保障、勤務条件の保障、福利厚生制度といった職員に利益を与え、又はこれを保護する制度の理論的な支えにもなっている。

法令等及び上司の職務上の命令に従う義務

1　意義

法令等及び上司の職務上の命令に従う義務とは、職員がその職務遂行に当たり、法令、条例、地方公共団体の規則及び地方公共団体の機関の定める規程に従い、かつ、上司の職務上の命令に忠実に従うべき義務をいう(32条)。

この義務は、国権の執行に当たる行政は、法律すなわち国民の合意である法令に則って活動しなければならないとの法治主義の原則に従うべきことによるものとされる。

この義務に違反した場合、懲戒事由には該当するが、罰則の定めはない。
職務命令には、職員の職務の執行に直接関係する「職務上の命令」と職員たる身分に伴う生活行動の制限である「身分上の命令」（例えば、居住場所の制限）がある。

2　職務命令の成立要件

職務命令が有効に成立するためには、次の要件を充足する必要がある。

⑴　命令を発した上司がその職員との関係において指揮監督権限を有するものであること。単に任用上の地位が上位にある者が上司とは限らない（例えば、部が異なる場合)。上司には、職務の遂行について職員を指揮監督し、職務上の命令及び身分上の命令を発しうる「職務上の上司」と職員の任用、懲戒等の身分取扱いについて権限を有し、身分上の命令を発しうる「身分上の上司」がある。

⑵　職員の職務に関する命令であること（身分上の命令については、公務としての地位・職務との関係において合理的な範囲内であること）

⑶　法律上許される命令であること

⑷　事実上実行可能な命令であること

職務命令に重大かつ明白な瑕疵がある場合、その職務命令は無効であるから、職員はこれに従う義務はない。これに対し、瑕疵が取り消しうるにとどまる場合、その職務命令は一応有効であるとの推定を受けるから、権限ある機関によって取り消されるまでは職員はこれに従う義務がある。なお、職務命令に疑義がある場合、職員は、法律上の規定があるわけではないが、当然に、上司にその旨の意見を具申することができる。

■関係法条／地方公務員法32条

◉キーワード／上司　職務命令　身分上の命令　職務上の命令　訓令　通達

【問題】職員の上司の職務命令に従う義務に関する次の記述のうち、妥当なものはどれか。

❶　任用上の地位が上位にあるものであれば、権限ある上司でなくても、職務上の命令を発することができ、職員は、これに従う義務を負う。

❷　職務命令は、文書でも、口頭でも、行うことができ、また、その形式によってその効力に違いはない。

❸　職員は、その職員を指揮監督する権限のある上司であれば、上司の権限外の事項について発せられた命令であっても、これに従わなければならない。

❹　職務命令の効力に疑義があるような場合には、職員は、上司にその旨を具申すれば、改めて命令がなされない限り、それに従う必要はない。

❺　階層的に上下の関係にある複数の上司が同一事項について異なる職務命令を発したときは、上位の上司の職務命令ではなく、職員の直近上司の職務命令が優先する。

解説

❶　誤り。職務命令は、職員の職務遂行について指揮監督をする権限ある上司が行うことができるものである。

❷　正しい。職務命令は要式行為ではなく、口頭でも文書でも可能である。

❸　誤り。職務命令は、上司の職務権限内の事項でなければならない。

❹　誤り。職務命令の効力に疑義があるような場合でも、重大かつ明白な瑕疵がある場合でない限り、職務命令は一応有効との推定を受けることから、権限ある機関によって取り消されるまでは、職員はその職務命令に従う必要がある。

❺　誤り。階層的に上下の関係にある複数の上司が同一事項について異なる職務命令を発したときは、より上位の上司の職務命令が優先する。

【正解　❷】

信用失墜行為の禁止

信用失墜行為の禁止とは、職員が、その職の信用を傷付け、又は職員の職全体の不名誉となるような行為をしてはならないことをいう（33条）。

信用失墜行為は、職員がその職務に関して行った非行のほか、職務外の行為であっても、職員の職全体の不名誉となるような行為であれば、該当する。また、非行の内容も、犯罪行為に限られたものではなく、社会通念に基づき非行であると判断されるものは、信用失墜行為に該当しうる。もっとも、どのような行為が信用失墜行為に当たるかは、一般的な基準は立てにくく、個々の場合について具体的に判断する必要がある。

信用失墜行為に該当する行為を大別すれば、①職務に直接関係する信用失墜行為、②①以外の職務に関連する信用失墜行為及び③職務と関連しない行為になると解されている。

例えば、職権濫用罪、収賄罪等に該当する行為のように職務に関する犯罪行為は、一般的には、信用失墜行為に該当するが、これは、①に該当すると考えられる。また、運転業務に従事する職員が業務中に交通事故を起こした場合もこれに該当する。

職務に関する犯罪行為ではないが、政治的行為の制限、争議行為の禁止等に違反する行為のような行為は、公務員に課されている他の服務規定に違反する職務上の行為と解されるのであり、②に該当するものと考えられる。必ずしも直接に特定の服務規定に違反する行為とはいえない行為であっても、例えば、来庁者に粗暴な態度をとった場合や職務上の利害関係者から飲食物等の供応を受領した場合なども同様であろう。

③の職務に関連しない行為の例としては、傷害、窃盗等の刑法上の犯罪行為を行った場合があるほか、飲酒運転、スピード違反などの交通法規違反の場合や、私生活において金銭面や交際面で著しく社会道徳に反する行為がある場合も、③に該当するものとして、信用失墜行為に当たると解される。

職員が信用失墜行為の禁止に違反した場合、懲戒処分の対象となるが、これについて罰則の定めはない。したがって、行為そのものが刑法その他の法令により処罰されることはあっても、信用失墜行為の禁止の違反として、地方公務員法を根拠に処罰されることはない。

■関係法条／地方公務員法33条

◉キーワード／職務に関連する非行　職全体の名誉

【問題】信用失墜行為の禁止に関する次の記述のうち、妥当なものはどれか。

❶　職員が信用失墜行為の禁止に違反したときは、その違反した行為が職務に関する場合は地方公務員法上の罰則が適用されるが、職務に関連しない場合は地方公務員法上の罰則が適用されない。

❷　職員が信用失墜行為の禁止に違反したときは、地方公務員法上の罰則が適用され、その違反した行為が職務に関連する場合は懲戒処分の対象となり、職務に関連しない場合には分限処分の対象となる。

❸　職員が信用失墜行為の禁止に違反したときは、地方公務員法上の罰則が適用されるが、その違反した行為が破廉恥罪に該当する場合は、刑法その他の罰則が優先して適用される。

❹　職員が信用失墜行為の禁止に違反したときは、地方公務員法上の罰則の適用はないが、その違反した行為が刑法に定める罪に該当する場合に限り、懲戒処分の対象となる。

❺　職員が信用失墜行為の禁止に違反したときは、地方公務員法上の罰則の適用はないが、その違反した行為が職務に関連しない行為であっても、懲戒処分の対象となることがある。

解説

❶　誤り。信用失墜行為に違反した者には、職務の内外を問わず、罰則は適用されないが、懲戒処分の対象となる。

❷　誤り。信用失墜行為の禁止は、罰則の規定はないが、その違反行為には、職務の関連を問わず、懲戒処分となる。

❸　誤り。信用失墜行為の禁止は、罰則の規定はないが、その違反行為が、破廉恥罪などに該当するときは、罰則が科される場合がある。

❹　誤り。信用失墜行為は刑法に定める罪に該当しなくても全体の奉仕者としてふさわしくない非行のある場合に該当し、懲戒処分の対象となる。

❺　正しい。設問のとおり。　【正解　❺】

秘密を守る義務

1　意義

職員は職務上知り得た秘密を漏らしてはならず、また、職員がその職を退いた後も、同様に漏らしてはならない。(34条1項)。

地方公共団体は、住民の信託を受けて事務を行う以上、住民にその活動状況を公開し、説明すべき責務を有しており、その保有する情報はできる限り公開されるべきである。しかし、地方公共団体の保有する情報には、公開により一定の公共の利益が著しく損なわれるものもあるため、そのおそれがある情報について、秘密を守る義務（守秘義務）が規定された。

「秘密」とは、一般に了知されていない事実であって、それを一般に了知させることが一定の利益の侵害になると客観的に考えられるものをいうと解されている。また、秘密は、実質的にもそれを秘密として保護するに値すると認められるもの（実質的秘密（実質秘））でなければならない。官公庁が秘密として指定したもの（形式的秘密（形式秘））は、その専門的判断を信頼して一応秘密としての推定を受けるが、最終的にはそれが客観的に実質的秘密であるかどうかにより、ここにいう「秘密」に該当するかどうかが決せられる。

「職務上知り得た秘密」には、職務上の所管に関する秘密のほか、教員が児童の家庭訪問の際に知った家庭の私的な事情のように、所管外であっても職務執行上知り得た秘密等も含まれる。ただし、職務執行中に知り得た事項であっても、当該職員の職務と全く関係なく、たまたま知ったにすぎない事実は、「職務上知り得た秘密」には該当し得ない。

2　義務違反とその処罰

秘密を「漏らす」とは、その職員又は一部の職員しか知らない秘密を、広く一般に知ることができるようにする行為又は知ることができるようになるおそれのある行為の一切をいう。

職員が守秘義務に違反して秘密を漏らした場合、懲戒処分の対象になるとともに、1年以下の懲役又は50万円以下の罰金に処せられる（60条2号)。退職者の場合、懲戒処分は課せられないが、同様の刑罰に処せられる。また、職員が秘密を漏らすことを企て、命じ、故意に容認し、そそのかし、又はその幇助をした者も同様の刑罰に処せられる（62条)。

■関係法条／地方公務員法34条１項、60条２号、62条
◉キーワード／守秘義務　実質的秘密（実質秘）　形式的秘密（形式秘）
職務上知り得た秘密

【問題】職員の秘密を守る義務に関する次の記述のうち、妥当なものはどれか。

❶　職員が漏らしてはならない職務上知り得た秘密には、職務上の所管に関する秘密のほか、私人の秘密も含まれる。
❷　職員は、職務上知り得た秘密を不特定多数の者に漏らすことは禁止されるが、特定の者に漏らしても、秘密を守る義務には違反しない。
❸　職員が、行政庁が秘密の指定をした事項を第三者に漏らした場合には、そのことをもって直ちに秘密を守る義務に違反することになる。
❹　職員が、法令による証人、鑑定人等となり、任命権者の許可を受けずに職務上の秘密に属する事項を発表した場合、懲戒処分の対象とはなり得るが、罰則の対象とはならない。
❺　職員は、職務上知り得た秘密を漏らしてはならないが、この義務は、在職中のみ課せられるものであり、その職を退いた後には課せられない。

解説

❶　正しい。職務上知り得た秘密には、所管外の私的な秘密も含まれる。
❷　誤り。相手方が不特定多数の者でなくても職務上知り得た秘密を漏らすことは禁止される。
❸　誤り。守秘義務の対象となる秘密は、実質的にも秘密として保護するに値するものでなければならないものとされている（最高裁昭和52年12月19日判決）。
❹　誤り。その場合でも、懲戒処分だけでなく、罰則の対象ともなる（34条２項、60条２号）。
❺　誤り。職を退いた後も、職務上知り得た秘密を漏らしてはならない（34条１項）。

【正解　❶】

秘密事項の発表

職員又は職員であった者が、法令による証人、鑑定人等となり、職務上の秘密に属する事項を発表する場合においては、任命権者（退職者については、その退職した職又はこれに相当する職の任命権者）の許可を受けなければならない（34条２項）。

なお、民事訴訟法191条、刑事訴訟法144条は、裁判所がそのような場合に尋問を行う際の監督官庁の承認・承諾を得ることを規定しているが、地方自治法100条（議会の100条調査権による証言の請求）は前者を準用する。

発表について任命権者の許可を要する「職務上の秘密」は、職務上の所管に属する秘密であり、職員が漏らしてはならない「職務上知り得た秘密」の一部である。

職員が法令による証人、鑑定人等として職務上の秘密を発表する場合には、任命権者は、法律に特別の定めがある場合以外は、職務上の秘密に属する事項の発表の許可を与えなければならない（34条３項）。職員が法令による証人、鑑定人等となる場合と、その場合に法律により任命権者が発表の許可を拒むための要件は、おおむね次の表のようになっている。

職員が法令による証人、鑑定人等となる場合	任命権者が発表の許可を拒むための要件
普通地方公共団体の議会が、その事務に関する調査を行い、選挙人その他の関係人の証言等を求める場合（地方自治法100条１項）	任命権者が承認を拒む理由を疎明し、議会の求めに応じて、公の利益を害する旨の声明を行ったとき（地方自治法100条４・５項）
人事委員会又は公平委員会が、法律又は条例に基づくその権限の行使に関し、証人を喚問し、又は書類の提出を求める場合（８条６項）	規定なし
民事事件に関して、裁判所が証人を尋問する場合（民事訴訟法190条）	公共の利益を害し、又は公務の遂行に著しい支障を生ずるおそれがあるとき（民事訴訟法191条２項）
刑事事件に関して、裁判所が証人を尋問する場合（刑事訴訟法143条）	国の重大な利益を害するとき（刑事訴訟法144条ただし書）

なお、人事委員会による調査・審理に関しては、職員の陳述・証言を義務付ける人事院の権限に相当するものは認められておらず、任命権者の許可なく発表すれば罰則の対象となりうる。

■関係法条／地方公務員法８条６項、34条２・３項、60条２号　地方自治法100条　民事訴訟法190条、191条２項　刑事訴訟法143条、144条

◉キーワード／法令による証人・鑑定人等

【問題】職員が法令による証人等となり、職務上の秘密に属する事項を発表する場合に関する次の記述のうち、妥当なものはどれか。

❶　職員は、裁判において、証人として職務上の秘密に関する事項を証言する場合には、裁判所の許可を受ければよい。

❷　職員は、人事委員会から証人として職務上の秘密に属する事項の発表を求められた場合には、任命権者の許可は不要とされている。

❸　職員が法令による証人となり、職務上知り得た秘密に属する事項を発表する場合には、その秘密が自ら担当する職務に係るものではなくても、任命権者の許可を受けなければならない。

❹　職員は、法令による証人、鑑定人等となり、任命権者の許可を受けずに職務上の秘密を発表した場合、懲戒事由には該当するが、刑罰に処されることはない。

❺　任命権者は、その秘密を発表することが公の利益を害すると判断する場合でも、職務上の秘密の発表の許可を拒むことができないことがある。

解説

❶　誤り。裁判においても、職員が職務上の秘密に関する事項を発表する場合には、任命権者（退職者については、その退職した職又はこれに相当する職の任命権者）の許可が必要である。

❷　誤り。職員は必ず任命権者の許可を受けなければならず、この許可があるまでは職務上の秘密に属する事項を発表することはできない。

❸　誤り。「職務上知り得た秘密」であるが「職務上の秘密」でないものについては許可を要しない。

❹　誤り。１年以下の懲役又は50万円以下の罰金に処されることになる。

❺　正しい。職員の秘密の発表についての任命権者の許可は、法律の特別の定めがある場合以外は、拒むことはできない。

【正解　❺】

職務専念義務

1　意義

職務専念義務とは、職員は、法律又は条例に特別の定めがある場合を除くほか、その勤務時間及び職務上の注意力のすべてをその職責遂行のために用い、当該地方公共団体がなすべき責を有する職務にのみ従事しなければならないとする義務をいう（35条）。この義務は、職員は全力を挙げて職務の遂行に専念すべきとする地方公務員法30条の内容をより具体的な服務規定とするとともに、法律及び条例に特別の定めがある場合にはその例外を認めたものである。職務専念義務に違反した場合、懲戒事由には該当するが、罰則の定めはない。職務専念義務が要求されるのは勤務時間中に限られる。また、専念すべき「地方公共団体がなすべき責を有する職務」には、地方公共団体が処理すべき事務が広く含まれる。

2　職務専念義務の免除

職務専念義務が免除される場合として、法律に特別の定めがあるものには、分限休職処分の場合（27条２項）、懲戒停職処分の場合（29条１項）、職員団体の役員として在籍専従する場合（55条の２第１・５項）、在籍専従職員以外の職員が職員団体が行う適法な交渉に参加する場合（55条８項）、育児休業又は部分休業をする場合（地方公務員の育児休業等に関する法律）、その他の休業の場合（26条の４～26条の６等）などがある。

条例に基づいて職務専念義務が免除される場合には、職員の勤務時間、休暇等に関する条例に休日、休暇等が定められている場合のほか、職務専念義務の免除に関する条例を定め得るとする地方公務員法35条の規定に基づき、研修への参加、厚生に関する計画の実施への参加（例えば、職場でのレクリエーション行事への参加）などについて職務専念義務を免除することを条例で定める場合がある。

職務専念義務が免除される場合の給与支給の有無及び支給を受ける場合の額は、原則として、条例の定めるところによる。ただし、懲戒停職処分、在籍専従、育児休業・部分休業及び職員団体の業務・活動への従事のそれぞれの場合（条例で定める場合を除く。）等については、給与の全部又は一部が支給されないことが規定されている。これに対し、労働基準法の年次有給休暇を取得する場合は同法に定める基準以上の給与が支給される。

■関係法条／地方公務員法35条、38条、55条の２　地方公務員の育児休業等に関する法律４条２項、９条２項
◉キーワード／勤務時間　職務専念義務の免除

【問題】職員の職務専念義務に関する次の記述のうち、妥当なものはどれか。

❶　職員団体が勤務時間中に適法な交渉を行う場合、職員団体が指名した職員は、その指名により当然に職務専念義務が免除される。
❷　都道府県が給与を負担している市町村立小学校の教職員の職務専念義務は、当該都道府県の条例に基づき、都道府県教育委員会の承認により免除される。
❸　営利企業に従事しようとする職員は、その従事する時間が当該職員に割振られた勤務時間外であっても、任命権者から営利企業に従事することの許可とあわせて、職務専念義務の免除の承認を受けなければならない。
❹　職員が勤務条件に関する措置の要求をすることは、法律上の権利であるので、それを勤務時間中に行う場合、当然に職務専念義務が免除される。
❺　勤務時間中に職員団体活動を行うため職務専念義務を免除された職員は、条例で定める場合を除き、当該職務専念義務を免除された時間について、給与の支給を受けることができない。

解説

❶　誤り。勤務時間中に適法な交渉を行う場合に、職員は、職員団体の指名により当然に職務専念義務が免除されない。職務専念義務の免除の手続が必要である。
❷　誤り。都道府県が給与を負担している市町村立小学校の教職員の職務専念義務は、市町村の条例に基づき、市町村教育委員会の承認により免除される。
❸　誤り。営利企業に従事しようとする職員は、任命権者から営利企業に従事するための許可を得る必要があるが、勤務時間外である場合には、職務専念義務の免除の承認を必要としない。
❹　誤り。職員が、勤務時間中に勤務条件の措置要求をする場合は、職務専念義務の免除の手続が必要で、当然に職務専念義務が免除されない。
❺　正しい。設問のとおり。

【正解　❺】

政治的行為の制限

職員は、国民として政治活動の自由が保障される。しかし、地方公共団体の行政は法令に従い中立かつ公正に運営されなければならず、職員の政治的中立が求められる。また、職員の政治的中立性が確保されることにより、政治的影響から保護され、職員の身分の安定が保たれる。そこで、職員は、次の⑴・⑵の政治的行為が禁止されている。これに違反した場合、懲戒事由には該当するが、国家公務員の場合と異なり、罰則の定めはない。

⑴ 政党その他の政治的団体の結成等に関与する行為（36条１項） ①政党その他の政治的団体の結成への関与又はこれらの団体の役員となること及び②政党その他の政治的団体の構成員となるように、又はならないように勧誘運動をすることをいう。「勧誘運動」とは、単なる勧誘にとどまらず、不特定又は多数の者を対象に、構成員になる又はならない決意を組織的、計画的に促すことをいう。

⑵ 特定の政治目的を有する一定の政治的行為（36条２項） 特定の政治目的とは、「特定の政党その他の政治団体又は特定の内閣若しくは地方公共団体の執行機関を支持し、又はこれに反対する目的」あるいは「公の選挙又は投票において特定の人又は事件を支持し、又はこれに反対する目的」をいう。一定の政治的行為とは、①公の選挙又は投票における勧誘運動、②署名運動への企画、主宰等の積極的関与、③寄附金その他の金品の募集への関与、④文書図画の掲示等について地方公共団体の庁舎、施設、資材又は資金を利用し、又は利用させること、⑤その他条例で定める政治的行為をいう。④以外は、当該職員の属する地方公共団体の区域外では制限されない。

また、職員以外の者を含め、⑴・⑵の政治的行為を行うよう職員に求めること等又はこれらの政治的行為をなす職員に対して利益を与えること等の行為は禁止される（36条３項）。

なお、職務が民間企業労働者と類似する地方公営企業・特定地方独立行政法人の職員の大部分及び単純労務職員は、政治的行為の制限を受けず、他方、児童、生徒等への影響が大きい公立学校の教育公務員は、国家公務員の場合と同様とする特例が設けられるなど、制限が強化されている。ただし、国家公務員とは異なり、罰則はない（教育公務員特例法18条）。

■関係法条／地方公務員法36条　地方公営企業法39条２項　地方独立行政法人法53条２項　教育公務員特例法18条　国家公務員法102条
◉キーワード／政治的中立性の確保　政治的行為　政治的活動

【問題】政治的行為の制限に関する次の記述のうち、妥当なものはどれか。

❶　職員は、政党その他の政治的団体の結成に関与することは制限されるが、政党その他の政治的団体の構成員となるよう、又はならないように勧誘することまでは制限されない。
❷　職員は、その属する地方公共団体の区域外において、特定の人を支持する目的をもって、公の選挙において投票するように勧誘運動をすることは制限されず、その区域外で選挙運動をすることで処罰されることはない。
❸　職員は政治的団体の役員となってはならないとされているため、職員団体が政治団体として届出をした場合には、当該職員団体の役員である職員は政治的行為の制限に違反することとなる。
❹　職員は、その属する地方公共団体の区域内において署名運動に積極的に関与してはならないとされていることから、職員が当該地方公共団体の区域内で直接請求の署名を行うことも認められない。
❺　職員は、政治的行為の制限に関する規定に違反した場合には、懲戒処分のほか、罰則の適用がある。

解説

❶　誤り。政党その他の政治的団体の構成員となるよう、又はならないよう勧誘することも制限されている（36条１項）。
❷　誤り。その属する地方公共団体の区域外であってもその地位を利用して選挙運動をすることは公職選挙法136条の２により罰則をもって制限されている。
❸　正しい。行政実例にも同趣旨の回答（昭和26年４月２日行実）がある。
❹　誤り。「署名運動」とは、不特定又は多数の者を対象として組織的、計画的に、その共同の意向を表示する手段としてその意向を明示した文書に署名させるよう勧誘する行為をいい、単なる「署名」は含まれない。
❺　誤り。地方公務員法においては、政治的行為の制限に関する罰則規定は設けられていない。

【正解　❸】

営利企業への従事等の制限

地方公務員法は、職員が、任命権者の許可を得ずに、商業、工業又は金融業その他営利を目的とする私企業（営利企業）を営むこと、その役員等となること及び報酬を得て事業・事務に従事することを禁止している（38条）。その理由としては、①職務に対する集中を欠き職務専念義務に抵触するおそれ、②営利企業等の利益確保のために職務の公正さが損なわれるおそれ、③従事する営利企業等の内容によっては、職員の品位を損ない、公務に対する信用を失墜させるおそれなどがあるためである。

これに違反した場合、懲戒事由には該当するが、罰則の定めはない。なお、勤務時間中に営利企業に従事等をする場合には、職務専念義務（35条）の免除の許可を別に受けなければならない。

1　営利企業への従事等の制限の内容

具体的に、制限を受ける行為は、次のとおりである。

(1)「営利企業を営むことを目的とする会社その他の団体の役員等を兼ねること」　公益社団法人、公益財団法人、農業協同組合などの協同組合等の営利目的としない団体は、たとえ収益事業を行っていても「営利を目的とする私企業」に含まれない。また、営利企業において非役員である従業員となることもこれには該当しない。ただし、いずれであっても、後述の(3)に該当することはありうる。

(2)「自ら営利企業を営むこと」　業種は問わない。会社を興す場合はもちろんのこと、家業の相続により、農業、アパートの賃貸業を営む場合も含まれる。なお、職員の家族が営利企業を営むことはかまわない。

(3)「報酬を得て事業・事務に従事すること」　報酬を得るのであれば、事業又は事務の営利目的の有無を問わない。「報酬」は、その労働の対価として支払われる一切の給付をいい、その名称を問わない。これに対して、労働の対価ではない給付、例えば、実費弁償としての車代や、原稿料等の謝金は、報酬に当たらないと解されている。

2　任命権者の許可とその基準

人事委員会は、人事委員会規則により任命権者の許可の基準を定めることができる（38条2項）。その際は①～③のおそれがないことの確認を旨とすることとなる。

■関係法条／地方公務員法38条
◉キーワード／職務の公正性　職務専念義務　職務に対する信用の維持

【問題】営利企業への従事等の制限に関する次の記述のうち、妥当なものはどれか。

❶　職員は営利企業の役員等に就任することが禁止されているが、非常勤の役員に無報酬で就任する場合には、営利企業への従事等の制限には抵触しない。
❷　農業協同組合や消費者協同組合などの営利を目的としない団体の役員等に無報酬で就任している場合には、たとえこれらの団体が営利行為を行っていたとしても、営利企業への従事等の制限には抵触しない。
❸　職員が出版社から個人的に依頼を受けて原稿を執筆し、これに対して、原稿料等の謝金を受け取ることは、勤務時間外にそれを行う場合でも、報酬を得て出版社の事業に従事することになることから、営利企業への従事等の制限に抵触する。
❹　職員だけでなく、職員の家族が営利を目的とする私企業を営むことについても、職務の公正と公務員としての品位の保持が図れなくなるおそれがあることから、原則として制限されている。
❺　職員は、人事委員会の定める基準等に基づき地方公共団体の長の許可を受けることによって、例外的に営利企業に従事等をすることができる。

解説

❶　誤り。営利企業の非常勤の役員となることも、報酬の有無にかかわらず、営利企業の従事制限に該当する（38条１項）。
❷　正しい。実質的には営利企業類似の行為を行っていても、それぞれの団体を規律する法律において営利を目的とはしないものとされているため、地方公務員法38条１項にいう「その他の団体」には該当しないものと解されている。
❸　誤り。一般的には、原稿の執筆は出版社の事務に従事するものではなく、原稿料等の謝金は報酬に当たらないものと解されており、任命権者の許可は不要である。
❹　誤り。職員の家族が営利を目的とする私企業を営むことは、職員本人の服務上の問題ではなく、制限の対象とはされていない。もっとも、家族などの名義を利用して実質的に職員が私企業を営むことは、脱法行為となる。
❺　誤り。許可をする権限を有しているのは、任命権者である（38条１項）。

【正解　❷】

退職管理

1　元職員による働きかけの規制

離職後に営利企業等（営利企業及び非営利法人（国、地方公共団体、特定独立行政法人及び特定地方独立行政法人を除く。）をいう）に再就職した元職員（再就職者）に対して、当該営利企業等又はその子法人と在職していた地方公共団体との間の契約等事務（①再就職者が在籍している営利企業等又はその子法人と在職していた地方公共団体との間で締結される契約、②当該営利企業等やその子法人に対する処分に関する事務のことをいう）について、離職後２年間、離職前５年間の職務上の行為をする、あるいはしないように、要求又は依頼すること（働きかけ）が禁止される。なお、在職中のポストや職務内容によって、規制される働きかけの対象範囲や規制される期間が異なる点に注意を要する（38条の２）。

規制に違反した元職員については過料又は刑罰が科され、元職員から働きかけを受けた職員については人事委員会又は公平委員会にその旨を届け出る義務が課される。

2　再就職情報の届出

地方公共団体は、元職員による働きかけの規制の円滑な実施及び退職管理の適正確保に必要と認められる措置を講ずるために必要なときは、条例で、元職員に対し、再就職情報の届出を義務付けることができる。また、届出義務違反に対しては、条例で10万円以下の過料を科すことができる。

3　働きかけ規制違反に関する監視

働きかけ規制に違反する行為を行った疑いがある場合は、当該違反行為について、任命権者が調査を実施する。その際、人事委員会又は公平委員会は、任命権者が行う調査が公正に行われるよう、その開始から終了までを監視する（38条の３～38条の５）。

4　地方公共団体の講ずる措置

地方公共団体は、①国家公務員法の退職管理の規定の趣旨及び②職員の再就職状況を勘案して、退職管理の適正確保に必要と認められる措置（例えば、再就職状況の公表、職員が他の職員又は元職員の再就職をあっせんすることの制限、職員が在職中に利害関係のある企業等に求職活動することの制限など）を講ずるものとされている（38条の６）。

■関係法条／地方公務員法38条の２～38条の７
◉キーワード／再就職者からの要求又は依頼（働きかけ）　契約等事務

【問題】退職管理に関する次の記述のうち、妥当でないものはどれか。

❶　再就職者は、離職前５年間に在職していた地方公共団体の執行機関の組織の契約事務であって離職前５年間の職務に属するものに関し、離職後２年間は、職務上の行為をするように働きかけをしてはならない。

❷　再就職者のうち、地方公共団体の長の直近下位の内部組織の長又はこれに準ずる職に在職していた者については、当該職に就いていたのが離職日の５年前以前であったとしても、離職後２年間は、職務上の行為をするように働きかけをしてはならない。

❸　再就職者は、在職していた地方公共団体の執行機関の組織の職員に対し、当該地方公共団体と再就職者が就職した営利企業等との契約であって当該地方公共団体においてその締結について自ら決定したものに関して、職務上の行為をするように働きかけをしてはならない。

❹　人事委員会又は公平委員会は、職員又は職員であった者について、再就職者による働きかけの規制に関して規制違反を行った疑いがあると思料するときは、当該規制違反行為に関して調査を行わなければならず、当該調査後は、任命権者にその旨を通知しなければならない。

❺　職員は、再就職者から禁止されている働きかけを受けた場合には、人事委員会規則又は公平委員会規則で定めるところにより、人事委員会又は公平委員会にその旨を届け出なければならない。

解説

❶　正しい（38条の２第１項）。

❷　正しい（38条の２第４項）。

❸　正しい（38条の２第５項）。

❹　誤り。任命権者が規制違反行為に関して調査を行おうとするときは、人事委員会又は公平委員会にその旨を通知しなければならない（38条の４第１項）。

❺　正しい（38条の２第７項）。

【正解　❹】

判例チェック

（「秘密」の定義について）
最高裁昭和52年12月19日決定刑集31巻7号1053頁
外務省秘密漏えい事件：最高裁昭和53年5月31日決定刑集32巻3号457頁
（公務員の政治的行為の制限の合憲性等について）
猿払事件：最高裁昭和49年11月6日判決刑集28巻9号393頁
社保庁職員事件：最高裁平成24年12月7日判決刑集66巻12号1722頁
世田谷事件：最高裁平成24年12月7日判決刑集66巻12号1337頁

新要点演習
地方公務員法

第6章

福祉及び利益の保護

（概観）

1　総論

地方公務員法41条は、職員の福祉及び利益の保護の根本基準として、職員の福祉及び利益の保護は、適切であり、かつ、公正でなければならないことを規定している。「職員の福祉及び利益」とは、その文言からすれば、非常に広い概念であるが、同条においては、「福祉」とは厚生福利制度及び公務災害補償制度を、「利益の保護」とは勤務条件に関する措置の要求の制度及び不利益処分に関する審査請求の制度を意味するものと解されている。

職員の福祉及び利益の保護が「適切」かつ「公正」であるかどうかは、個々の制度とその運用について、諸般の事情を考慮して判断されうるものであり、情勢適応の原則や均衡の原則の趣旨にかんがみ、具体的には、民間における同様の制度と均衡がとれているか、公平性が確保されているか、地方公務員法の目的である地方公共団体の行政の民主的かつ効率的な運営に資するものであるかどうかなどから判断されるものと解される。

2　職員の福祉

地方公務員法は、職員の福祉を構成するものとして厚生福利制度と公務災害補償制度を規定し、このうち前者は、更に厚生制度と共済制度に分けられる。これらの制度は、必ずしも職員の職務に直結するものではないが、それにもかかわらず地方公務員法がこのような定めを置いているのは、これらの制度の確立が、給与制度などとあいまって、職員の生活の安定につながり、ひいては、職員が安んじて職務に専念できる環境を与え、公務の能率を増進させることにつながるからである。

職員の福祉は、かつては、使用者が労働者に対して恩恵的に与えるものとして認識されていたが、今日では、職員の権利として確立している。例えば、共済制度、公務災害補償制度などに基づく給付は、法律上の権利として位置づけられている。

職員の福祉に関する事項のうち、共済制度と公務災害補償制度については後述することとして、ここでは、厚生制度について簡単に触れておく。

地方公務員法は、厚生制度について、地方公共団体が職員の保健、元気回復（レクリエーション）その他厚生に関する事項について計画を樹立し、これを実施しなければならないことを定めている（42条）。

任命権者は、厚生に関する計画を樹立しなければならない。この計画は、条例のほか、規則、規程、訓令等適宜の方法で定めればよい。また、任命権者は、自ら厚生に関する計画を実施し、その費用は、地方公共団体が負担する。ただし、職員の自主的サークル活動を支援することや、互助会が事業を実施し、地方公共団体と職員が経費を負担することも差し支えない。厚生制度の具体例としては、健康診断の実施や診療所の設置、運動会や慰安旅行の実施、サークル活動の支援、互助会の設置などがある。

また、人事委員会は、厚生福利制度について絶えず調査研究を行い、その成果を地方公共団体の議会若しくは長又は任命権者に提出する権限を有している（８条１項２号）。

3　職員の利益の保護

不利益処分に関する審査請求は、特定の職員がその意に反して不利益な処分又はその職員にとって不利益と思われる処分（いわゆる思料不利益処分）を受けた場合に、その職員が身分の回復を求めて行うものであるのに対し、勤務条件に関する措置要求の制度は不利益処分の有無等を問題とするものでもなければ、自らの勤務条件に関する要求であることを要するものでもないという点で、両者には違いがある。いわば、勤務条件に関する措置要求の制度は労働基本権のうち団体協約の締結権の制約の代替措置としての性格を、不利益処分に関する審査請求は職員の身分保障としての性格を有するものであるといえる。

しかし、両者とも、職員の利益を保護し職員の生活と身分を安定させることにより、職員が安んじて職務に専念できる環境を与え、公務の能率を増進させることを目的とするものである。このような観点から、地方公務員法は、職員の福祉とともに、職員の利益の保護のための措置として勤務条件に関する措置要求、不利益処分に関する審査請求を規定しているのである。

なお、勤務条件に関する措置要求、不利益処分に関する審査請求については、これらが公正に運用されるよう、中立的かつ専門的な行政委員会である人事委員会・公平委員会に事務を処理させることとしている。

共済制度の意義

「共済制度」とは、職員が一定額の掛金を積み立て、職員又はその被扶養者に病気、死亡、災害などの一定の事故が生じた場合に給付を行い、職員間の相互救済を図る制度をいう（43条1項）。

共済制度は、職員又はその家族の現在及び将来の生活の安定を図ることによって、職員が安んじて職務に専念することができ、これにより職務の能率的運営に資することを目的とした制度であり、職員の福利厚生制度の中核をなしている。共済制度は、民間労働者の健康保険制度や厚生年金保険制度に相当するものとして、基本的に社会保険として行われるものである。

地方公務員法は、共済制度について、次のように定めている。

⑴　①職員若しくはその被扶養者の病気、負傷、出産、②職員の休業、③職員若しくはその被扶養者の災害、④職員の退職、⑤職員の障害又は⑥職員の死亡の場合に関して、適切な給付を行うための相互救済を目的とする共済制度が実施されなければならない（43条1項）。

⑵　共済制度には、退職年金に関する制度が含まれていなければならない。退職年金の制度とは、職員が①相当年限忠実に勤務して退職した場合又は②公務に基づく病気若しくは負傷により退職し若しくは死亡した場合に、その者又はその遺族に対して年金を支給するものをいう（43条2項）。また、退職年金は、退職又は死亡の時の条件を考慮して、本人及びその退職又は死亡の当時その者が直接扶養する者のその後における適当な生活の維持を図ることを目的としなければならない（43条3項）。

⑶　地方公務員の共済制度は、国家公務員の共済制度との間に権衡を失しないように適当な考慮が払われなければならない（43条4項）。

⑷　共済制度は、健全な保険数理を基礎として定めなければならない（43条4項）。

⑸　共済制度は、法律によって定める（43条5項）。この規定に基づき、地方公務員等共済組合法が制定され、共済制度の詳細を定めている。なお、共済制度について、条例で独自の制度を設けることはできない。

■関係法条／地方公務員法43条

◉キーワード／共済　相互救済　福利厚生制度の中核　公務の能率的運営　社会保険　退職年金

【問題】職員の共済制度に関する次の記述のうち、妥当なものはどれか。

❶　共済年金には、職員が相当年限忠実に勤務して退職した場合の退職手当に関する制度が含まれており、退職後の本人及び扶養家族の適当な生活の維持を図ることを目的としている。

❷　共済制度は、専ら職員又はその家族の現在及び将来の生活の安定を図ることを目的とする制度である。

❸　共済制度は、職員又はその家族の病気、死亡、災害などの一定の事故に対して職員の相互救済を図る制度であるから、その費用は、職員の掛金のみによって賄わなければならない。

❹　共済制度に類似する制度に、健康保険制度、国民年金や厚生年金保険制度などの社会保険制度があり、国民はこれらのいずれかの制度によって、その病気又は負傷に対する給付や年金の給付を受けることができる。

❺　共済制度については、地方公務員法43条6項に基づき、法律又は条例によって定めることとされている。

解説

❶　誤り。退職手当ではなく、退職年金である。退職手当は、条例に定めるところにより、地方公共団体が支給する。

❷　誤り。共済制度は、職員及びその家族の生活の安定を通じて、職員が安んじて職務に専念できるようにし、もって地方公共団体の行政の能率的運営に資することを目的としている。

❸　誤り。共済制度の意義は記述のとおりであるが、その費用を職員の掛金によってのみ賄うものではない。

❹　正しい。設問のとおり。いわゆる国民皆保険制度がとられている。

❺　誤り。共済制度は、法律で定めることとされており、条例で定めるとはされていない。

【正解　❹】

共済制度の内容

1　共済組合

共済制度は、共済組合によって実施される。共済組合は、地方公務員等共済組合法に基づく、常勤の地方公務員をもって構成される公法人である。地方公務員共済組合としては、地方公共団体の種類及び職員の職種に応じて、①地方職員共済組合、②公立学校共済組合、③警察共済組合、④都職員共済組合、⑤指定都市職員共済組合、⑥市町村職員共済組合及び⑦都市職員共済組合が設けられている。

常勤の地方公務員は、共済組合の組合員となる。常勤であれば、特別職の職員も組合員となる。また、休職や停職の処分を受けた者、職務専念義務を免除された者及び常勤に準ずる非常勤職員も組合員となるとされている。

2　共済事業

共済事業として、次の事業が行われる。

⑴**短期給付**　組合員又は被扶養者の病気、負傷、出産、災害等に関する給付。健康保険等の医療保険に相当する。短期給付には、法律の定めにより一律に行われる「法定給付」と組合が定款に定めて行う「附加給付」があり、前者には、保健給付、休業給付及び災害給付がある。

⑵**長期給付**　組合員が一定の期間以上在職したとき、一定の障害状態となったとき又は死亡したときに行う給付。長期給付には、厚生年金保険給付（老齢厚生年金・障害厚生年金等・遺族厚生年金）と退職等年金給付（退職年金・公務障害年金・公務遺族年金）がある。

⑶**福祉事業**　組合員の福祉を増進するために行う福利・厚生に関する事業。厚生年金の福祉施設に相当する。福祉事業として、健康の保持・増進事業や保養・宿泊施設の経営、資金の貸付け、生活必需物資の供給等の事業を行うことができる。

共済組合の行う事業に要する費用は、組合員の掛金と地方公共団体の負担金によって賄われる。その負担割合は、原則として、①短期給付・長期給付・福祉事業に要する費用は掛金と負担金が同額（公務又は通勤上の災害に係る長期給付に要する費用は全額負担金）、②共済組合の事務に要する費用は全額負担金とされている。

■関係法条／地方公務員等共済組合法

◉キーワード／地方公務員共済組合　短期給付　長期給付　福祉事業　負担金　掛金

【問題】地方公務員共済組合に関する次の記述のうち、妥当なものはどれか。

❶　短期給付とは、組合員又は被扶養者の病気、負傷、出産等に関する給付であり、これらの事情により勤務することができない場合に支給される給付は含まれない。

❷　共済組合の行う事業に要する費用は、原則として、組合員の掛金と地方公共団体の負担金によって賄われており、このうちの掛金は、職員の給料及び期末手当等に一定の率をかけて算定する。

❸　共済制度は、地方公務員等共済組合法に基づいて、地方公共団体に置かれた地方公務員共済組合が実施する。

❹　長期給付には、組合員が一定の障害状態となったときに行う給付があるが、公務上の災害により生じた障害は、その対象から除かれる。

❺　常勤の地方公務員は、職員となった日に共済組合の組合員となるが、その意思により、組合を脱退する自由が保障されている。

解説

❶　誤り。短期給付には、保健給付、休業給付及び災害給付があり、病気又は負傷により勤務することができない場合に支給される給付は、休業給付である。

❷　正しい。設問のとおり（地方公務員等共済組合法113条）。

❸　誤り。地方公務員共済組合は、地方公共団体に置かれた機関ではなく、別個の公法人である。

❹　誤り。長期給付のうち障害共済年金は、公務上の災害により生じた障害も対象となる。

❺　誤り。常勤の地方公務員は、職員となった日に共済組合の組合員となり、退職した日の翌日に資格を喪失するのであって、任意に脱退することはできない。

【正解　❷】

公務災害補償の意義

「公務災害補償」とは、被災した職員及びその遺族の生活の安定と福祉の向上に寄与するため、職員が公務上の災害（負傷、疾病、障害又は死亡）を受けた場合に、その災害によって本人又はその被扶養者が受けた損害を補償する制度をいい、職員に対する福祉制度の１つである。また、この制度は、民間の労働者の「災害補償」や国家公務員の「公務傷病に対する補償」に相当し、これらの制度とともに、社会保障制度の体系の中に位置づけられる。公務災害補償制度は、職員が安んじて職務に専念することができ、地方公共団体の行政の能率的運営に資するとも解されている。

公務上の災害といえるためには、「公務起因性」及び「公務遂行性」が必要である。「公務起因性」とは、その災害が職務遂行と相当な因果関係をもって発生したことをいい、「公務遂行性」とは、その災害の発生が任命権者が管理し、支配している公務に従事しているときに発生したものであることをいう。なお、災害の発生について任命権者等に過失があることは必要なく、いわゆる無過失責任主義がとられている。

地方公務員法は、公務災害補償について、次のように定めている。

⑴　①職員が、公務により死亡し、負傷し、又は疾病にかかった場合、②職員が、公務による負傷又は疾病により死亡し、又は障害の状態となった場合、③船員である職員が公務により行方不明となった場合の３つの場合について、その職員又は遺族若しくは被扶養者がこれらによって受ける損害は、補償されなければならない（45条１項）。

⑵　⑴の補償の迅速かつ公正な実施を確保するため必要な補償に関する制度が実施されなければならない（45条２項）。

⑶　①療養又は療養の費用の負担、②療養期間中の所得の喪失に対する補償、③永久又は長期に所得能力を害された場合の損害に対する補償、④死亡の場合に遺族等の受ける損害に対する補償のそれぞれに関する事項が定められなければならない（45条３項）。

⑷　公務災害補償は、法律によって定めるものとし、その制度は、国の制度と均衡を失しないように適当な考慮が払われなければならない（45条４項）。この規定に基づいて、地方公務員災害補償法等が定められている。

■関係法条／地方公務員法45条

◉キーワード／福祉制度　公務起因性　公務遂行性　無過失責任主義

【問題】公務災害補償に関する次の記述のうち、妥当なものはどれか。

❶ 公務災害補償とは、職員又はその被扶養者が災害を被った場合に、その災害によってその職員又はその被扶養者が受けた損害を補償する制度をいう。

❷ 公務災害補償の目的は、被災した職員及びその遺族の生活の安定と福祉の向上に寄与することであり、職員の職務遂行や地方公共団体の行政運営と関連づけられるものではない。

❸ 公務災害補償を行うためには、災害が発生したことについての地方公共団体に故意又は過失が要件となる。

❹ 公務上の災害といえるためには、その災害が職務遂行と相当な因果関係をもって発生し、かつその災害の発生が任命権者が管理し、支配している公務に従事しているときに発生したものでなければならない。

❺ 公務災害補償の制度として、公務上の負傷・疾病に対する療養又は療養費の給付並びに公務災害に起因する休業補償、障害補償の給付が必要とされているが、遺族補償については必要とはされていない。

解説

❶ 誤り。災害は、公務上の災害でなければならず、また、職員の被扶養者の災害を補償する制度ではない。

❷ 誤り。職員の福祉のための制度である公務災害補償は、職員が安んじて職務に専念することができ、地方公共団体の行政の能率的運営にも資することを目的としている。

❸ 誤り。公務上の災害であることが要件ではあるが、地方公共団体の故意又は過失は要件とはならない。

❹ 正しい。設問のとおり。

❺ 誤り。地方公務員法45条４号は、遺族補償についても定めなければならないことを規定している。

【正解　❹】

公務災害補償の内容

地方公務員災害補償法に基づく公務災害補償の対象となる職員は、常勤の地方公務員及び勤務形態が常勤の職員に準ずる一定の非常勤職員のほか、一般地方独立行政法人の役員及び常時勤務者等である。また、補償の対象となる災害は、公務上の災害又は通勤による災害である。「災害」とは、負傷、疾病、障害又は死亡をいう。「通勤による災害」とは、職員が勤務のため、住居と勤務場所との間等を合理的な経路及び方法により往復する間に受けた災害をいう。ただし、日常生活上必要な一定の行為を行うために、通勤の経路の最小限度の逸脱又は中断を行った場合に受けた災害は、これに含まれる。

地方公共団体に代わって公務災害の認定を行うとともに、災害に対する補償を行う機関として、地方公務員災害補償基金（基金）が置かれている。補償を受けようとする職員や遺族等は、基金に対して請求を行わなければならない。基金は、この請求を受けたときは、その補償の原因である災害が公務又は通勤により生じたものであるかどうかを速やかに認定し、その結果を請求をした者及びその災害を受けた職員の任命権者に通知する。なお、基金の行った決定に対する不服申立ての審査機関として、基金の中に地方公務員災害補償基金審査会及びその支部審査会が置かれている。

基金の行う補償には、①療養補償、②休業補償、③傷病補償年金、④障害補償（障害補償年金・障害補償一時金）、⑤介護補償、⑥遺族補償（遺族補償年金・遺族補償一時金）及び⑦葬祭補償がある。

基金の業務に必要な費用は、地方公共団体の負担金を主な財源とする。この負担金の額は、その地方公共団体の職員を職種ごとに区分し、その職種ごとの職員の給与総額に一定の割合を掛けた額を合計した額である。これに対し、職員には、費用の負担はないが、通勤による災害により療養補償を受ける場合には、一部負担金を払い込まなければならない。

地方公務員災害補償法の適用がない非常勤の地方公務員の公務災害補償については、条例等で、公務上の災害及び通勤による災害に対する補償の制度を定めなければならない。この制度は、地方公務員災害補償法及び一般労働者を対象とする労働者災害補償保険法と均衡を失したものであってはならない。

■関係法条／地方公務員災害補償法

◉キーワード／公務上の災害　通勤による災害　地方公務員災害補償基金　地方公務員災害補償基金審査会

【問題】地方公務員災害補償法に定める公務災害補償に関する次の記述のうち、妥当なものはどれか。

❶　公務災害補償は、職員が通勤する際の災害も補償の対象となるが、その災害が交通機関の責任による場合には、補償の対象とならない。

❷　ある災害が公務又は勤務中に生じたものであるか否かの認定については、職権主義がとられており、認定は、補償を受けようとする者の請求がなくても行われる。

❸　公務災害を被った職員は、地方公務員災害補償基金に対してその補償を請求する必要があるが、地方公共団体がこれを認めている場合には、これを要しない。

❹　地方公務員災害補償基金は、常勤職員に対する公務災害補償のみを行い、非常勤職員に対する公務災害補償は、原則として、地方公共団体が条例で定めて行う。

❺　地方公務員災害補償基金は、職員に公務災害補償を行った場合には、その職員の属する地方公共団体に対し、補償に要した費用を徴収することができる。

解説

❶　誤り。公務災害が第三者の行為により生じた場合であって、職員がその第三者から賠償を受けた範囲で補償の義務を免れる。したがって、補償の対象とならないわけではない。

❷　誤り。請求主義がとられている。

❸　誤り。公務災害を被った職員は、地方公務員災害補償基金に対してその補償を請求しなければならず、設問のような例外はない。

❹　正しい。設問のとおり。

❺　誤り。公務災害補償に要する費用は、地方公共団体の負担金その他の収入をもって充てる。

【正解　❹】

勤務条件に関する措置の要求

職員は、勤務条件に関し、人事委員会又は公平委員会に対して、地方公共団体の当局により適当な措置が執られるべきことを要求することができる（46条）。

この制度は、職員の勤務条件の安定と保障を図ることを目的とするものであり、職員の勤務条件が労働契約や団体交渉の結果に基づく労働協約によって定められないなど職員の労働基本権が制約されていることの代替措置の１つである。

措置要求をすることができるのは、条件付採用期間中の職員や臨時的任用職員も含めた一般職の職員である。ただし、地方公営企業・特定地方独立行政法人の職員及び単純労務職員は、団体交渉の結果に基づき労働協約を締結することが認められ、また、労働委員会によるあっせん、調停又は仲裁の制度を利用することが認められていることから、労働基本権の制約の代替措置を講じる必要がないため、措置要求をすることは認められていない（地方公営企業法39条１項、地方公営企業等の労働関係に関する法律附則５項）。退職した職員や職員団体は措置要求をすることはできないが、複数の職員が共同して措置要求をしたり、第三者に委任して代理権を与えて措置要求を行わせることは認められる。

措置要求の対象となる勤務条件とは、給与、勤務時間その他の勤務条件である。転勤などにより当該職員にとっては過去のものとなった勤務条件であっても、また、他の職員に係る勤務条件であっても構わない。他方、職員の定数の増減、予算の増減、行政機構の改革などいわゆる管理運営事項といわれている事項は、措置要求の対象とならない。ただし、例えば、職員の定数減により勤務の負担が過重になるような場合など、実際には、管理運営事項と勤務条件とは切り離すことが困難である場合も多く、勤務条件に関する事項として認められる限りにおいては、できる限り措置要求の対象とすべきであると解されている。

措置要求の申出を故意に妨げた者は、３年以下の懲役又は100万円以下の罰金に処せられる（61条５号）。また，その妨害行為を企て、命じ、故意にこれを容認し、そそのかし、又は幇助した者も同じ刑に処せられる（62条）。

■関係法条／地方公務員法46条、61条５号、62条
◉キーワード／労働基本権制約の代替措置　勤務条件　管理運営事項

【問題】勤務条件に関する措置要求に関する次の記述のうち、妥当なものはどれか。

❶　措置要求の対象となるのは職員の勤務条件であり、過去のものとなってしまった勤務条件や他の職員にかかわる勤務条件も措置要求の対象とはならない。
❷　勤務条件に関する措置要求については、企業職員や単純労務職員だけでなく、教育職員、警察職員及び消防職員も行うことができず、また、一般職の職員が特別職の職を兼ねている場合にも、特別職の職にかかわる勤務条件については、措置要求をすることができない。
❸　勤務条件に関する措置要求は、人事委員会又は公平委員会で審査されるが、職員から請求があったときは口頭審理を行われなければならず、また、口頭審理については、当該職員から請求があったときは、公開して行われなければならない。
❹　県費負担職員の勤務条件に関する措置要求については、任命権が市町村教育委員会に委任され、当該教育委員会によって任命される教職員の場合には、その相手方は当該市町村の人事委員会又は公平委員会である。
❺　勤務条件に関する措置要求に対する人事委員会又は公平委員会の判定に不服がある要求者が再審の手続をとることは認められておらず、また、一事不再理の原則により、同じ職員が同一の事項について再度措置要求をすることもできない。

解説

❶　誤り。過去のものとなってしまった勤務条件や他の職員にかかわる勤務条件も措置要求の対象となる。
❷　誤り。教育職員、警察職員及び消防職員は措置要求をすることができる。後段は正しい。
❸　誤り。措置要求については、口頭審理その他の方法により行うものとされているにとどまり、口頭審理の公開は規定されていない（47条、48条）。
❹　正しい（昭和31年11月16日行実）。
❺　誤り。判定について再審の手続は認められていないが、措置要求には一事不再理の原則の適用はないものと解されている。　【正解　❹】

勤務条件に関する措置要求の審査

勤務条件に関する措置要求の審査機関は、その地方公共団体の人事委員会又は公平委員会である（8条1項9号、8条2項1号）。公平委員会を共同して設置している場合にはその共同設置した公平委員会が、他の地方公共団体の人事委員会に公平委員会の事務を委託している場合にはその委託を受けた人事委員会が、それぞれ審査機関となる（7条4項）。

人事委員会又は公平委員会は、措置要求があったときは、事案について口頭審理その他の方法による審査を行い、事案の判定を行う。ただし、この審査は、不利益処分に対する審査請求の審査とは異なり、請求者から請求があった場合であっても必ずしも口頭審理を行う必要はない。また、証人を喚問し、又は書類やその写しの提出を求めることができるが（8条6項）、これに応じなかったり、虚偽の陳述をしても、罰則の適用はない。

なお、人事委員会又は公平委員会が措置要求の適否を調査している段階において、その内容が軽微な是正で足り、職員と当局の話合いで解決することが可能な場合には、事実上のあっせんで処理することもありうる。

人事委員会又は公平委員会は、措置要求の手続又は内容が不適法であって、それを補正できない場合には、その要求を却下する。それ以外の場合には、事案について要求の一部又は全部を認める旨の判定か、要求のすべてを認めない旨の判定を行う。人事委員会又は公平委員会は、事案の判定の結果に基づいて、自らの権限に属する事項については、自らこれを実行しなければならず、また、その他の事項については、その事項に関し権限を有する地方公共団体の機関に対し、必要な勧告をしなければならない。この勧告には法的拘束力はないが、中立的かつ専門的な審査機関による勧告であるから、勧告を受けた機関はこれを尊重すべき責務がある。

審査請求をした者は、判定の結果に不服があっても、再審を請求することはできない。しかし、同じ職員が再度同じ措置要求をすることは、これを禁じる規定もなく、可能である。また、判定が不服な場合には、取消訴訟を提起することができる。

措置要求及びその審査、判定の手続並びに審査、判定の結果執るべき措置に関し必要な事項は、人事委員会規則又は公平委員会規則で定めなければならない（48条）。

■関係法条／地方公務員法47条、48条

◉キーワード／措置要求　人事委員会　公平委員会　口頭審理　判定　勧告

【問題】勤務条件に関する措置要求の審査に関する次の記述のうち、妥当なものはどれか。

❶　勤務条件に関する措置要求に対し、人事委員会又は公平委員会が要求を認めない判定を行った後、その事情に著しい変化が生じた場合は、再度の措置要求ではなく、必ず再審の請求を行わなければならない。

❷　勤務条件に関する措置要求をした者は、人事委員会又は公平委員会が判定を行うまでの間、考え方を変えた場合などいつでも要求を取り下げることができる。

❸　人事委員会又は公平委員会は、勤務条件に関する措置要求があった場合で事案の審査を行ったときは、必ず何らかの判定を行わなければならない。

❹　人事委員会又は公平委員会は、勤務条件に関する措置要求の審査においては、証人を喚問し、又は書類やその写しの提出を求めることはできない。

❺　人事委員会又は公平委員会は、勤務条件に関する措置要求を認める判定を行った場合には、必ず地方公共団体の機関に何らかの勧告を行わなければならない。

解説

❶　誤り。再審の制度はない。しかし、一事不再理の原則がとられているわけではないから、同じ職員が再度同じ措置要求をすることができる。

❷　正しい。いつでも取下げが可能と解されている。

❸　誤り。事案を審査したが、措置要求をすることができない者による要求である場合、要求の内容が管理運営事項に関するものである場合などの不適法な要求であって、補正できないときは、要求を却下する。

❹　誤り。証人の喚問又は書類やその写しの提出を求めることはできる。

❺　誤り。人事委員会又は公平委員会の権限に属する事項については、自ら実行しなければならない。

【正解　❷】

不利益処分に関する審査請求

地方公務員法では、職員の身分保障を実質的に担保するために、職員がその意に反して不利益な処分を受けた場合に、中立的かつ専門的な機関としての人事委員会又は公平委員会に対し、行政不服審査法による審査請求をすることができることとしている。

審査請求を行うことができるのは、「懲戒その他その意に反すると認められる不利益な処分」を受けた職員である。懲戒処分のほか、分限処分（免職、休職、降任及び降給）を受けた職員も含まれる。また、これら以外の処分であっても、具体的なケースについて個々に、職員の意思に反するかどうか、不利益な処分といえるかどうかを判断する必要があり、平等取扱いの原則違反、育児休業を理由とする不利益取扱いなどが該当しうる。

審査請求をすることができるのは、「懲戒その他その意に反する不利益な処分を受けた職員」である。ただし、条件付採用期間中の職員、臨時的任用職員、地方公営企業・特定地方独立行政法人の職員及び単純労務職員は除かれる。退職者は、退職前の不利益処分について審査請求をすることはできないが、免職処分を受けた者がその処分について審査請求をすることはできる。

審査請求は、処分があったことを知った日の翌日から起算して3か月以内にしなければならない。処分があったことを知らなかった場合でも、処分の日の翌日から起算して1年を経過したときは、することができない。

審査請求の審査機関は、その職員が属する地方公共団体の人事委員会又は公平委員会である。なお、公平委員会を共同して設置している場合及び他の地方公共団体の人事委員会に公平委員会の事務を委託している場合の審査機関は、勤務条件に関する措置要求の場合と同じく、共同設置した公平委員会又は委任を受けた人事委員会である。

任命権者が懲戒その他のその意に反する不利益な処分を行う場合に、その職員に対し処分の事由を記載した説明書を交付しなければならず、また、職員がその意に反して不利益な処分を受けたと思うときは、職員の側から説明書の交付を請求することができる。請求を受けた任命権者は、請求の日から15日以内に説明書を交付しなければならない。これらの説明書には、審査請求ができる旨及び審査請求期間を記載しなければならない。

■関係法条／地方公務員法49条、49条の２　地方公営企業法39条１項　地方独立行政法人法53条１項１・２号
◉キーワード／身分保障　不利益処分　処分説明書　審査請求

【問題】不利益処分に関する審査請求に関する次の記述のうち、妥当なものはどれか。

❶　職員がした申請に対する不作為により職員が不利益を受けたと思う場合にも、不利益処分に対する審査請求を行うことができる。
❷　人事委員会又は公平委員会は、審査請求を受理したときは、直ちにその事案を審査しなければならないが、その場合には、必ず口頭審理を行わなければならない。
❸　審査請求を受けた人事委員会又は公平委員会は、審査の結果に基づいて、処分を承認し、修正し、取り消すことができ、それについては任命権者が関与することはなく、その裁決が最終的なものとなる。
❹　人事委員会又は公平委員会は、審査請求をした者から処分の執行停止の申立てがあった場合、それにより生ずる重大な損害を避けるため緊急の必要があると認めるときは、処分の効力等の停止の措置をすることができる。
❺　条件付採用期間中の職員については、分限の規定は適用されないが、懲戒処分の規定は適用され、その受けた懲戒処分については、人事委員会又は公平委員会に、審査請求を行うことができる。

解説

❶　誤り。職員がした申請に対する不作為について審査請求を行うことはできない（49条の２第２項）。
❷　誤り。口頭審理は、処分を受けた職員から請求があったときに、行わなければならないものとされている（50条１項）。
❸　正しい（50条３項）。
❹　誤り。審査請求については、行政不服審査法の執行停止の規定は適用されない（49条の２第３項）。
❺　誤り。条件付採用期間中の職員については、審査請求の規定は適用されない（29条の２第１項）。

【正解　❸】

不利益処分に関する審査請求の審査

人事委員会又は公平委員会は、不利益処分に関する審査請求を受理したときは、直ちにその事案を審査しなければならない。事案の審査の方法は、原則として、書面審理又は口頭審理のいずれによることもできる。ただし、処分を受けた職員から請求があったときは、口頭審理を行わなければならず、さらに、口頭審理は、その職員から請求があったときは、公開して行わなければならない（50条1項）。

人事委員会又は公平委員会は、事案の審査に当たって、必要があると認めるときは、証人を喚問し、又は書類やその写しの提出を求めることができる（8条6項）。そして、正当な理由がないのに証人喚問に応じない者、虚偽の陳述をした者は、3年以下の懲役又は100万円以下の罰金に処せられる（61条1号）。

人事委員会又は公平委員会は、審査が終了したときは、裁決（審査請求に対して審査庁が行う判断）の判定を行う。審査請求に係る処分が適法かつ妥当であると認めるときは「承認」、処分に理由はあるが量定が不適当であると認めるときは「修正」、処分が著しく不適当又は違法であると認めるときは「取消し」の判定をそれぞれ行う。「修正」又は「取消し」の判定が行われたときは、任命権者が改めて処分を行うことなく、当然に判定の結果に基づく効力が発生するが、修正の場合には、原処分は当初から修正裁決どおりの法律効果を伴う処分であったとみなされる。

また、必要がある場合は、任命権者にその職員の受けるべきであった給与その他の給付を回復するために必要かつ適切な措置をさせる等その職員がその処分によって受けた不当な取扱いを是正するための指示をする。この指示に故意に従わなかった者は、1年以下の懲役又は50万円以下の罰金に処せられる（60条3号）。

不利益処分を受けた職員は、人事委員会又は公平委員会に対して審査請求をし、その裁決を経た後でなければ、原則として、処分の取消訴訟を提起することができない。これを「審査請求前置主義」という。ただし、審査請求後一定期間を経過しても裁決又は決定が行われないなど、一定の事由がある場合には、判定を経ることなく処分の取消訴訟を提起することができる（行政事件訴訟法8条2項）。

■関係法条／地方公務員法８条６項、50条、51条、60条１号、61条３号
行政不服審査法
◉キーワード／審査請求　書面審理　口頭審理　審査請求前置主義

【問題】不利益処分に関する審査請求に関する次の記述のうち、妥当なものはどれか。

❶　不利益処分を受けた職員は、人事委員会又は公平委員会に対してのみ行政不服審査法による審査請求をすることができ、この審査請求ができる職員には、地方公営企業の職員及び単純労務職員は含まれない。

❷　人事委員会又は公平委員会は、審査請求に対する審査に関する事務のすべてを人事委員会の委員若しくは事務局長又は公平委員会の委員に委任することができる。

❸　審査請求は、処分があったことを知った日の翌日から起算して60日以内にしなければならず、処分があった日の翌日から起算して６か月を経過したときは、審査請求をすることができない。

❹　審査請求の審理につき、処分を受けた職員から口頭審理の請求があったときは、審査機関は必ず口頭審理を公開して行わなければならない。

❺　審査請求に対する無効確認の訴えは、当該処分に対する審査請求の裁決を経た後でなければ、提起することはできない。

解説

❶　正しい（地方公営企業法39条１項等）。

❷　誤り。人事委員会又は公平委員会は、審査請求に対する審査に関する事務を、最終的な裁決を除き、人事委員会の委員若しくは事務局長又は公平委員会の委員に委任することができるが、すべてではない。

❸　誤り。審査請求は、処分があったことを知った日の翌日から起算して３か月以内にしなければならず、処分があった日の翌日から起算して１年を経過したときは、審査請求をすることができない。

❹　誤り。職員から公開の請求があるときには公開とされる。

❺　誤り。無効等の確認の訴え又は不作為の違法確認の訴えについては、審査請求の前置の適用はない。

【正解　❶】

判例チェック

（人事委員会の判定の処分性について）
最高裁昭和36年3月28日判決民集15巻3号595頁
（修正裁決による原処分の効果について）
最高裁昭和62年4月21日判決民集41巻3号309頁
（専従休暇の法的性質について）
最高裁昭和40年7月14日判決民集19巻5号1198頁
（いわゆるヤミ専従に対する懲戒免職処分について）
最高裁昭和55年4月11日判決（判例集未登載）・仙台高裁昭和54年6月5日判時946号114頁

新要点演習
地方公務員法

第７章

労働基本権

- （概観）
- 職員団体の意義・成立要件
- 職員団体の登録
- 職員団体の交渉権
- 職員団体のための職員の行為の制限
- 禁止される争議行為等

- 判例チェック

（概観）

1　憲法28条と公務員

憲法28条は、労働基本権として、勤労者の団結権、団体交渉権及び団体行動権（争議権）の３つの権利を保障しているところ、判例・通説は、基本的には公務員もその対象であるとしている。しかし、職員は、全体の奉仕者として勤務するという地位を有し、また、その職務の内容は公共的性質を持つことを理由に、労働基本権が制限される。

2　団結権・団体交渉権

まず、一般の行政事務に従事する職員及び教育職員については、労働組合法と労働関係調整法の適用はなく、一般の労働者とは態様を異にする形で団結権が認められており、労働組合法上の労働組合の結成が認められない代わりに、地方公務員法に職員団体の制度が設けられている。また、団体交渉権については、職員団体には、当局との間において交渉を行う権利が認められているものの、交渉の結果、労働協約を締結することはできないとされており、一般の労働者に比べて制限された形で認められている。

次に、地方公営企業・特定地方独立行政法人の職員及び単純労務職員は、職務の性格が民間企業の業務に近いものであることから、一般の労働者に近い形で労働基本権が認められている。まず、団結権については、労働組合を結成し、加入することができる（地方公営企業等の労働関係に関する法律５条１項）。団体交渉権についても民間の労働者と同様に認められており、団体交渉を通じて、当局との間において賃金その他の勤務条件等について労働協約を締結することが認められている。この労働協約は、一般の労使関係におけるものと同様に法的拘束力が認められる。このように、団結権及び団体交渉権については、一般の労働者とほぼ同様に認められているといえる。ただし、民間労働者と異なり、労働組合に加入しない自由が保障されている（オープン・ショップ制）。なお、地方公営企業・特定地方独立行政法人の職員は、職員団体の主体たる「職員」とはならないが、単純労務職員は「職員」としても認められる（地方公営企業等の労働関係に関する法律附則５項）。

警察職員及び消防職員については、国民の生命・財産を守るという職務の性質にかんがみて、労働基本権がより厳しく制約されている。これらの職員は、地方公務員法上、職員団体を締結することができる「職員」からは除外されており、団結権・団体交渉権が認められていない。

3　争議権（団体行動権）

労働基本権のうち団体行動権については、地方公務員すべてについて認められておらず、争議行為が禁止されている。

地方公務員法は、職員の争議行為又は怠業的行為（争議行為等）を禁止するとともに、地方公務員以外の者に対しても、争議行為等を企てること、争議行為等の遂行の共謀・そそのかし・あおりを禁止している（37条1項）。地方公営企業等の職員についても、同様である。

争議行為等の全面的禁止が憲法28条違反となるかに関し、最高裁判所判例は、変遷をたどり、(3)・(4)の判決が現在まで踏襲されている。

(1)**全逓中郵事件判決**（1966年）　国の現業職員に対して争議行為をそそのかす行為につき、争議行為の違法性が強く、かつ、国民生活に重大な支障を与える場合に限り刑罰を科し得るとした。

(2)**都教組事件判決**（1969年）　地方公務員に対して争議行為をあおる行為のうち処罰の対象となるのは、違法性の強い争議行為に対する違法性の強いあおり行為に限られるとした。

(3)**全農林警職法事件判決**（1973年）　(1)・(2)の判決を変更し、国家公務員の争議行為の一律かつ全面的な禁止を合憲とした。

(4)**岩手県教組事件判決**（1976年）　地方公務員の争議行為の禁止について(3)と同様の判断を下した。

岩手県教組事件判決は、争議行為等の全面禁止が憲法28条に適合することの理由として、①地方公務員には住民全体の奉仕者という地位の特殊性と職務の公共性が認められること、②職員の勤務条件は法律及び条例で定められ、また、その給与は税収等により賄われているので、民間労働者のように団体交渉による労働条件の決定という方式は当てはまらず、団体行動権も本来の機能を発揮する余地が乏しく、かえって、議会での民主的な手続による勤務条件の決定に不当な圧力が加わること、③労働基本権の制約の代償措置として、人事委員会等が中立かつ第三者的立場から公務員の勤務条件に関する利益を保障する制度があることなどを挙げている。

職員団体の意義・成立要件

1　職員団体の意義

「職員団体」とは、職員の勤務条件の維持改善を図ることを目的として組織する団体又はこうした団体の連合体をいう。民間部門においては、労働基本権の１つである団結権として、労働組合の結成が認められるが、労働基本権が制約される地方公務員も、原則として団結権が保障され、地方公務員法において「職員団体」の制度が規定されている。なお、職員団体として認められる連合体は、地方公務員法上の職員団体のみによる連合体に限られ、地方公務員法上の職員団体と他の団体（労働組合法上の労働組合、国家公務員法上の職員団体など）との連合体は、職員団体として認められない。職員団体は、職員の勤務条件の維持改善を図ることを目的としなければならないが、副次的に、社会的目的や文化的目的を持つことも可能であり、政治的目的についても同様に解されている。ただし、職員団体の活動の一環としてであっても、職員の政治的行為は、制限される（36条）。

2　職員団体の成立要件

地方公務員法上、職員団体と認められるための要件は、特に規定されていないが、解釈上、職員が主体となって組織している必要があり、少なくとも構成員の過半数が職員でなければならないとされている。ただし、同一の地方公共団体の職員である必要はなく、また、臨時的任用されている職員や非常勤職員も、ここにいう職員に含まれる。

地方公営企業・特定地方独立行政法人の職員は、労働組合法上の労働組合の結成が認められることから地方公務員法の職員団体に関する規定の適用を受けないため、ここにいう職員に含まれない。ただし、これらの職員が職員団体の一部に加入していても、職員団体であることを否定されるわけではなく、一般職員がその過半数を占める団体に加入していても、その団体は職員団体として認められる。

管理職員等であると定められた職員とそれ以外の職員とが組織する団体は、職員団体とは認められない。管理職員等の範囲は、人事委員会規則又は公平委員会規則で定める。警察職員及び消防職員については、その職務の性格から団結権が否定されており、職員団体を結成し、又は職員団体に加入することは認められない（52条５項）。

■関係法条／地方公務員法52条
◉キーワード／団結権　職員団体　職員の勤務条件の維持改善　管理職員等

【問題】職員団体に関する次の記述のうち、妥当なものはどれか。

❶ 職員団体とは、職員がその勤務条件の維持改善を図ることを目的として組織するものであり、管理職員等は職員団体を組織することができない。

❷ 警察職員及び消防職員は、職員の勤務条件の維持改善を図ることを目的とし、かつ、当局と交渉する団体を結成してはならないが、既存の職員団体に加入することは認められている。

❸ 職員団体が職員団体としての登録を受けるかどうかは任意であるが、登録を受けていない職員団体については当該地方公共団体の当局と交渉することができない。

❹ 職員団体は、勤務条件に関し、また、これに附帯する形であれば地方公共団体の管理及び運営に関する事項に関しても、地方公共団体の当局と交渉することができる。

❺ 職員団体は、地方公共団体の当局と、法令、条例等に抵触しない限りにおいて書面による協定を締結することはできるが、団体協約を締結することはできない。

解説

❶ 誤り。管理職員等の職員団体を組織することは制限されていない（52条3項）。

❷ 誤り。設問のような団体を結成することも、それに加入することも認められていない（52条5項）。

❸ 誤り。登録を受けていない職員団体も、地方公務員法に基づく職員団体として、当局と交渉を行う地位・能力を有している。ただし、地方公共団体の当局は、登録を受けた職員団体については、適法な交渉の申入れがあった場合においてはその申入れに応ずべき地位に立つものとされているが、非登録職員団体についてはその義務を負うものではない（55条1項）。

❹ 誤り。地方公共団体の管理及び運営に関する事項は、交渉の対象とすることはできない（55条3項）。

❺ 正しい（55条2・9項）。　【正解　❺】

職員団体の登録

1　登録制度の意義

職員団体からの申請に基づき、あらかじめその職員団体が自主的かつ民主的に組織されていることを公に証明して、お墨付きを与える制度として、職員団体の登録制度が設けられている。職員団体は、条例で定めるところにより、人事委員会又は公平委員会に登録を申請することができる。

2　登録の要件

職員団体が登録を受けるためには、①その職員団体が一定の事項に関して規約を定めていること、②規約の作成、役員の選挙等の職員団体に関する重要事項について民主的ルールが定められ、これに従う決定がされていること、③同一の地方公共団体の職員のみにより構成されていることの要件を満たす必要がある。ただし、③の要件に関しては、不利益処分により免職された者であってその翌日から1年以内のもの又は審査請求や訴訟を提起し、裁決又は判決が確定していないものが構成員に含まれる場合や、職員以外の者が役員に就いている場合にも、登録が認められる。

3　登録の効果

地方公務員法では、地方公共団体の当局は、登録を受けた職員団体からの適法な交渉の申入れに対しては、これに応じるべき地位に立つこと（55条1項）が規定されている。ただし、注意しなければならないことは、登録は前述のとおり、自主的かつ民主的に組織された職員団体であることのお墨付きを与える制度にすぎないのであって、登録を受けていない団体であっても職員団体として認められる限り、当局は交渉の申出に対して誠実に対応しなければならないということである。

次に、登録を受けた職員団体については、これに加入する職員は、任命権者の許可を受けて、その職員団体の役員として専らその業務に従事すること（在籍専従）ができることが定められている。また、登録を受けた職員団体は、「職員団体等に対する法人格の付与に関する法律」に基づき、人事委員会又は公平委員会に申し出ることにより、法人格を取得し、財産管理等を法人名義で行うことができる。なお、それ以外の職員団体についても、同法により、規約について認証機関としての人事委員会又は公平委員会の認証を得た後に登記することで、法人格を取得することが認められている。

■関係法条／地方公務員法53条、54条　職員団体等に対する法人格の付与に関する法律

◉キーワード／職員団体　登録　在籍専従　法人格の付与

【問題】職員団体の登録に関する次の記述のうち、妥当なものはどれか。

❶　地方公共団体の当局は、登録を受けていない職員団体から適法な交渉の申入れがあった場合には、必要に応じて交渉を行うことができるが、勤務時間中に交渉を行うことはできない。

❷　職員団体は、登録を受けることにより、特段の手続を要することなく、法人格を取得することができる。

❸　地方公務員法上、在籍専従の許可は、登録を受けた職員団体の業務に職員が従事する場合にのみ行うことができるとされている。

❹　法人格の取得は、登録を受けた職員団体のみに認められる。

❺　地方公共団体の当局は、登録を受けた職員団体との交渉中に、当該職員団体の登録に瑕疵があることが明らかになったときは、直ちに交渉を打ち切ることができる。

解説

❶　誤り。適法な交渉は、職員団体の登録に関係なく、勤務時間中に行うことができる。

❷　誤り。登録を受けた職員団体が、法人になる旨を人事委員会又は公平委員会に申し出ることによって法人格を取得する。

❸　正しい（55条の２）。

❹　誤り。登録を受けていない職員団体であっても、職員団体等に対する法人格の付与に関する法律に基づき、その規約について人事委員会・公平委員会の認証を受けて登記をすれば、法人格を取得することができることとなっている。

❺　誤り。職員団体の登録に瑕疵があることが明らかになった場合でも、直ちに交渉を打ち切ることはできない。職員団体の登録は、制度上は、職員団体に交渉能力を与え、又はこれを失わせるものではない。

【正解　❸】

職員団体の交渉権

職員団体と地方公共団体の当局との間では、勤務条件に関する交渉をすることが認められている。登録を受けた職員団体については、交渉事項に関し適法に管理・決定する権限を有する地方公共団体の当局は、勤務条件等に関し適法な交渉の申入れに応じるべき地位に立つことが地方公務員法55条1項に明記されている。また、登録を受けていない職員団体も、地方公共団体の当局と交渉を行う権能が認められる。ただし、当局は、交渉の申入れに誠実に対応する義務を負うが、他方、交渉を行うことを法的に強制されるわけではない。

交渉の議題とすることができる事項は、給与、勤務時間その他の勤務条件である。また、これらに附帯して、社交的又は厚生的活動を含む適法な活動に係る事項も議題とすることができる。他方、行政の企画、立案、予算の編成など地方公共団体の事務の管理及び運営に関する事項（管理運営事項）は、交渉の議題とすることができない。

職員団体と地方公共団体の当局は、交渉に当たって、交渉に当たる者の員数、交渉の議題、交渉の時間、交渉の場所、その他必要な事項をあらかじめ取り決めるための予備交渉を行うこととされている。予備交渉を経ないで本交渉の申入れがあった場合や予備交渉で本交渉の合意が得られなかった場合は、当局は、交渉を拒否することができる。

交渉は、勤務時間外に行うのが望ましいが、勤務時間中であっても適法な交渉である限り、認められる。交渉は、①適法に交渉に当たることのできる者以外の者が参加したとき、②予備交渉で取り決めた事項に違反したとき、又は③他の職員の職務の遂行を妨げ、若しくは地方公共団体の事務の正常な運営を阻害することとなったときは、当局の側から打ち切ることができる。

交渉の結果、合意に達した事項については、書面による協定を結ぶことができる。しかし、職員団体が締結できる協定は、いわゆる紳士協定であるとされており、地方公共団体は、法的にはこの協定に拘束されない。この点で、労働組合と使用者が締結する労働協約とは性格が大きく異なる。この協定は、法令、条例、地方公共団体の規則及び地方公共団体の機関の定める規程に抵触してはならない。

■関係法条／地方公務員法55条

◉キーワード／職員団体　交渉　勤務条件　管理運営事項　書面による協定の締結

【問題】職員団体が行う交渉に関する次の記述のうち、妥当なものはどれか。

❶　地方公共団体の当局との適法な交渉は、勤務時間外に行わなければならないが、職務専念義務の免除を受けた場合に限り、勤務時間中においても行うことができる。

❷　地方公共団体の当局と交渉する権限は職員団体にのみ認められており、職員は、勤務条件について、不満を表明したり、意見を申し出ることは許されない。

❸　地方公共団体の当局と職員団体との間の書面による協定は、法令、条例、地方公共団体の規則及び地方公共団体の機関の定める規程に抵触してはならず、これらに違反する場合は、その部分は無効である。

❹　交渉の議題とすることができる事項は、給与、勤務時間その他の勤務条件であって、職場の安全衛生に関する事項は、議題とすることはできない。

❺　地方公共団体の当局が職員団体からの適法な交渉の申入れに応じない場合には、職員団体は人事委員会又は公平委員会に対して救済の申立てをすることができる。

解説

❶　誤り。地方公共団体の当局との適法な交渉は、勤務時間中においても行うことができ、その場合、職務専念義務は当然に免除される。

❷　誤り。職員は、職員団体に属していないという理由で勤務条件について不満を表明したり、意見を申し出る自由を否定されない（55条11項）。

❸　正しい（55条９項）。

❹　誤り。職場の安全衛生に関する事項は、勤務条件であり、交渉の対象事項である。

❺　誤り。そのような申立てをすることはできない。　【正解　❸】

職員団体のための職員の行為の制限

1　組合活動への従事と職務専念義務の免除

職員が勤務時間中に職員団体の活動に従事することは、職務専念義務と相いれないものである。しかし、憲法28条の労働基本権に基づいて、職員が職員団体を組織し、当局と交渉を行うことが認められていること、職員団体の組織の実態はいわゆる企業別組合が多いことなどにかんがみ、地方公務員法は、一定の場合に、例外的に、勤務時間中に職員団体の活動に従事することを認めている。

2　在籍専従

勤務時間中に職員団体の活動に従事できる場合の第1は、登録を受けた職員団体の役員として専ら従事する場合（55条の2）であり、一般に「在籍専従」といわれる。在籍専従は、職員が、任命権者の許可を受けて、登録を受けた職員団体の役員としてその業務に専ら従事する場合に認められる。在籍専従の期間は、職員としての在職期間を通じて5年（ただし、当分の間は、7年以下の範囲内で人事委員会規則又は公平委員会規則で定める期間とされている。）を超えることができない。在籍専従の許可は、任命権者が相当と認める場合に有効期間を定めて与える。在籍専従の許可を受けた職員は、その許可が効力を有する間は、休職者として扱われ、その期間中はいかなる給与も支給されないとともに、在籍専従中の期間は退職手当の算定の基礎となる勤続期間に算入されない。なお、地方公営企業・特定地方独立行政法人の職員及び単純労務職員の労働組合に関しても、同様の在籍専従制度が認められている（地方公営企業等の労働関係に関する法律6条、附則5項）。

3　組合休暇

勤務時間中に職員団体の活動に従事できる場合の第2は、在籍専従以外の職員が、勤務時間中に職務専念義務を免除されて職員団体の活動に従事する場合であり、一般に「組合休暇」といわれる。職務専念義務の免除は、法律又は条例の特別の定めがある場合に限り認められ（35条）、「組合休暇」に相当する法律の定めとして、職員団体の行う適法な交渉にあらかじめ指名された役員等として参加する場合（55条8項）がある。組合休暇は、条例で定める場合を除き、無給である（55条の2第6項）。

■関係法条／地方公務員法55条の２、附則20項　地方公営企業等の労働関係に関する法律６条、附則５項

◉キーワード／職員団体　職務専念義務の免除　在籍専従　組合休暇

【問題】職員の在籍専従に関する次の記述のうち、妥当なものはどれか。

❶　任命権者は、登録を受けていない職員団体であっても、職員がその執行委員長としてその業務に専ら従事する場合には、在籍専従の許可を与えることができる。

❷　現在のところ、任命権者は、職員に在籍専従の許可を与える場合には、１つの職員団体について、その職員の在職期間を通じて５年を超えない範囲内において許可の有効期間を定めることとされている。

❸　在籍専従の許可を受けた職員は、その期間中に職員に対して行われる昇任試験を受けることはできない。

❹　任命権者は、職員が登録を受けた職員団体の代議員としてその業務に従事する場合には、在籍専従の許可を与えることができる。

❺　任命権者は、在籍専従の許可を受けた職員がその在籍している職員団体を除名された場合には、在籍専従の許可を取り消さなければならない。

解説

❶　誤り。在籍専従の許可は、職員が登録を受けた職員団体に限られる。

❷　誤り。在籍専従の許可の有効期間は、いずれの職員団体を問わず、当分の間、職員としての在職期間を通じて７年を超えない範囲内で人事委員会規則又は公平委員会規則で定める期間とされている。

❸　誤り。在籍専従の許可を受けた職員も、昇任試験を受けることができる。

❹　誤り。在籍専従は、登録を受けた職員団体の役員として専ら従事する場合でなければならない。役員とは、職員団体において執行権限又は監査権限を有する機関の構成員をいう。具体的には、委員長、書記長、執行委員などがこれに当たり、代議員は、通常これに当たらない。

❺　正しい。設問のとおり。　【正解　❺】

禁止される争議行為等

地方公務員法により禁止される「争議行為等」は、一般に地方公共団体の業務の正常な運営を阻害する行為（争議行為）、地方公共団体の機関の活動能力を低下させる行為（怠業的行為）に分類される。もっとも、両者の区別は明確ではなく、地方公共団体の機関の活動能力を低下させる行為のうち争議行為には至らない行為が怠業的行為であるといえる。

地方公務員法37条は、争議行為の例として、同盟罷業及び怠業を挙げる。このうち同盟罷業（ストライキ）は労働者が組織的に労働力の提供を拒否する行為であり、怠業（サボタージュ）は労働者が労働力を不完全な状態で提供し業務の遂行を阻害する行為であって、より消極的な争議行為といえる。

なお、①時間内職場集会（上司の許可なく勤務時間に食い込む集会を行うこと）、②年次有給休暇闘争（職員団体等の指令等に基づき、一斉に年次有給休暇を請求し、時季変更権の行使の有無にかかわらずその日に勤務しないこと）、③超過勤務拒否（職員団体等の指令等に基づき、上司の命令に反して時間外労働又は休日勤務を行わないこと）、④宿日直・出張拒否（職員団体等の指令等に基づき、上司の命令に反して宿日直又は出張を行わないこと）は、争議行為等に当たると解されている。

争議行為等の禁止に違反した職員は、地方公務員法違反として懲戒処分の対象となる。また、地方公営企業・特定地方独立行政法人の職員及び単純労務職員が争議行為等を行った場合は、解雇することができる。

争議行為等を実行した者については、罰則は定められていないが、争議行為等の遂行を共謀し、そそのかし、若しくはあおり、又はこれらの行為を企てた者については、争議行為等において不可欠の原動力として中核的地位を占めるものであるから、違法な争議行為等の防止の観点より、3年以下の懲役又は100万円以下の罰金に処せられる（61条4号）。ただし、地方公営企業・特定地方独立行政法人の職員及び単純労務職員について、罰則は定められていない。

また、禁止された争議行為等を行った場合、正当な争議行為に伴う民事上の免責（労働組合法8条）を受けない。したがって、争議行為等により地方公共団体や住民に損害を与えた場合、その賠償責任を負う。

■関係法条／地方公務員法37条、61条４号　地方公営企業等の労働関係に関する法律11条、12条、附則５項
◉キーワード／争議行為　怠業的行為

【問題】職員の争議行為等の禁止に関する次の記述のうち、妥当なものはどれか。

❶　職員は、争議行為を実行する行為又はこれを助長する行為を行ってはならないが、争議行為を実行した場合には、その行為について刑事責任が問われることはないが、地方公共団体に与えた損害については民事責任を問われうる。
❷　争議行為等が禁止されているのは職員であるから、個々の職員が独自に業務の正常な運営を阻害したり、業務の活動能率を低下させるような行為をしたときには、その行為が直ちに争議行為等に該当することになる。
❸　地方公務員法に違反する争議行為を職員が行った場合には、争議行為の禁止の違反となるのであって、それが信用失墜行為に該当することはない。
❹　争議行為の遂行を共謀し、そそのかし、若しくはあおり、又はそれらの行為を企てたときは、それらの行為について刑事責任が問われ得るが、その場合には、実際に当該争議行為が実行されたことが必要である。
❺　争議行為の遂行を共謀し、そそのかし、若しくはあおり、又はこれらの行為を企てた者は処罰されるが、罰則については職員以外の者よりも職員の方が重い。

解説

❶　正しい（61条４号）。
❷　誤り。個々の職員が独自に業務の正常な運営を阻害したり、業務の活動能率を低下させるような行為をしたときには、専ら職務専念義務違反の問題として対処すべきものとされており、直ちに争議行為等に該当するものではない。
❸　誤り。職員の他の服務規定に違反する行為については、職員の職の信用を傷つけ、又は職員の職全体の不名誉となる行為であると認められれば、信用失墜行為に該当することがあり得る。
❹　誤り。争議行為を助長する行為については、実際に争議行為が行われたかどうかを問わず、処罰の対象となるものと解されている（最高裁昭和29年４月27日判決）。
❺　誤り。地方公務員法61条４号は、何人たるを問わずとしており、職員と職員以外の者とを区別していない。　【正解　❶】

判例チェック

(非職員の職員団体への加入と専従許可の不承認について)
和歌山市教組事件：最高裁昭和40年7月14日判決民集19巻5号1198頁
(いわゆる一斉休暇闘争について)
白石営林署事件：最高裁昭和48年3月2日判決民集27巻2号191頁
(争議行為の禁止の合憲性について)
岩教組学力テスト事件：最高裁昭和51年5月21日判決刑集30巻5号1178頁
都教組事件：最高裁昭和44年4月2日判決刑集23巻5号305頁
(争議行為等の禁止のあおりの企ての罪について)
最高裁平成元年12月18日判決刑集43巻13号882頁
岩教組学力テスト事件：最高裁昭和51年5月21日判決刑集30巻5号1178頁
最高裁昭和29年4月27日判決刑集8巻4号555頁

新要点演習
地方公務員法

第8章

職員の責任

・職員等に対する罰則
・職員の賠償責任

職員等に対する罰則

地方公務員法では、次のような罰則規定が設けられている。

1　1年以下の懲役又は50万円以下の罰金（60条）

ア　平等取扱いの原則（13条）に違反した者

イ　守秘義務の規定（34条1・2項、9条12項）に違反した者

ウ　人事委員会又は公平委員会の是正指示（50条3項）に故意に従わなかった者

エ　離職後2年間、離職前5年間に在職していた地方公共団体の執行機関の組織等に属する職員等に対し、契約等事務で離職前5年間の職務に属するものに関し、職務上不正な行為をするように又は相当の行為をしないように働きかけた再就職者

2　3年以下の懲役又は100万円以下の罰金（61条）

ア　人事委員会又は公平委員会の証人喚問（8条6項）に対し、正当な理由なく応じなかった者又は虚偽の陳述をした者

イ　人事委員会又は公平委員会の書類等の提出要求（8条6項）に対し、正当な理由なく応じなかった者又は虚偽の事項を記載した書類等を提出した者

ウ　成績主義の規定（15条）に違反した者

エ　試験機関に属する者その他職員であって、受験を阻害した者又は受験に不当な影響を与える目的をもって特別又は秘密の情報を提供した者（18条の3等）

オ　職員の争議行為等（37条1項前段）の遂行を共謀し、そそのかし、若しくはあおり、又はこれらの行為を企てた者

カ　勤務条件に関する措置の要求の申出（46条）を故意に妨げた者

3　1イ又は2ア～エ・カの行為を企て、命じ、故意にこれを容認し、そそのかし、又は幇助をした者に対する同様の刑罰（62条）

4　3年以下の懲役（63条）

職務上不正な行為をすること若しくはしたこと又は相当の行為をしないこと若しくはしなかったことに関し、営利企業等に対し、離職後に当該営利企業等又はその子法人の地位に就くこと等を働きかけた職員等

■関係法条／地方公務員法60条～65条　刑法193条～197条の４
◉キーワード／守秘義務違反　争議行為のそそのかし・あおり　罰則

【問題】罰則に関する次の記述のうち、妥当なものはどれか。

❶　平等取扱いの原則に違反して差別をする行為については、差別を行った者に罰則が適用されるだけでなく、それを企て、命じ、故意にこれを容認し、そそのかし、又はその幇助をした者も、同様に罰則の対象として規定されている。
❷　職員が、職務上知り得た秘密を漏らした場合には、懲戒処分の対象となるだけでなく、罰則の対象となるが、職員が、法令による証人、鑑定人等となり、職務上の秘密に属する事項を発表する場合に、任命権者の許可を受けずに職務上の秘密を発表したときは、懲戒処分の対象とはなるが、罰則の対象とはならない。
❸　受験の平等公開の原則を守るため、試験機関に属する者その他職員が、競争試験及び選考に係る受験を阻害し、又は受験に不当な影響を与える目的をもって特別又は秘密の情報を提供した場合には、罰則が適用される。
❹　不利益処分に関する審査請求の審査の結果に基づいて人事委員会又は公平委員会が行った不当な取扱いの是正のための指示に従わなかった者には罰則が適用されるが、その場合、故意又は重過失により従わなかった者に罰則が適用される。
❺　職員以外の者であっても、職員による争議行為等の遂行を共謀し、そそのかし、あおり、又はこれらの行為を企てた場合には、実際に争議行為等が実行されたかどうかを問わず、罰則が適用されるのに対し、争議行為等を実行した職員については罰則の対象とされていない。

解説

❶　誤り。平等取扱いの原則に違反して差別を行った者は処罰されるが(60条１号)、平等取扱いの原則に違反する差別については、62条は適用されない。
❷　誤り。職員が、法令による証人、鑑定人等となり、任命権者の許可を受けずに職務上の秘密を発表した場合にも、罰則の適用がある（60条２号)。
❸　誤り。「試験」には選考は含まれない（18条の３等、61条３号)。
❹　誤り。故意のある場合だけが処罰の対象とされている（60条３号)。
❺　正しい（37条１項、61条４号)。　　　　　　　　　　　　　**【正解　❺】**

職員の賠償責任

1　地方自治法に基づく賠償責任

地方自治法では、職員のうち会計職員及び予算執行職員の賠償責任について、具体的な規定を設け、次の表のように定めている（地方自治法243条の2の2）。このような規定を設けているのは、地方公共団体の財産上の利益を保護し、損害の救済を容易にするとともに、会計職員等の責任を軽減する趣旨である。この場合、長が監査委員の決定に基づき期限を定めて賠償を命じることになる。職員がこれらの賠償責任の対象となる場合には、これらとは別に3の民事上の賠償責任は負わない。

職　　　員	賠償すべき場合
ア　会計管理者 イ　会計管理者の事務を補助する職員 ウ　資金前渡を受けた職員 エ　占有動産を保管している職員 オ　物品を使用している職員	故意・重過失（現金については故意・過失）により、保管・使用する現金、有価証券、物品等を亡失・損傷したとき
ア　次の行為をする権限を有する職員で地方公共団体の規則で指定した者 ①支出負担行為、②支出の命令・確認、③支出・支払、④契約履行の確保のための監督・検査 イ　アの職員の事務を直接補助する職員であって地方公共団体の規則で指定した職員	故意・重過失により、法令の規定に違反してこれらの行為を行い又は怠ったことにより、地方公共団体に損害を与えたとき

なお、地方公営企業の業務に従事する職員の賠償責任も、上記と同様である（地方公営企業法34条）。

2　国家賠償法に基づく賠償責任

公権力の行使に当たる職員が、その職務を行うについて、故意又は過失によって違法に他人に損害を与えたときは、地方公共団体はその損害を賠償する責任を負うが、職員に故意又は重大な過失があったときは、地方公共団体は、その職員に対して求償権を有する（国家賠償法1条）。

3　民事上の賠償責任

1と2の場合を除き職員が、その職務を遂行するに当たって、故意又は過失によりその属する地方公共団体又はそれ以外の他人の権利を侵害した場合には、民法709条に基づき、これによって生じた損害を賠償する責任を負うことになるのが原則である。

■関係法条／地方自治法243条の２の２　国家賠償法１条２項　民法709条
◉キーワード／賠償責任　会計職員　予算執行職員　民法上の賠償責任の免除　求償権

【問題】職員の賠償責任に関する次の記述のうち、妥当なものはどれか。

❶　地方自治法243条の２の２に基づく職員の賠償責任は、公務員の勤務関係から生じる公法上の特別責任であり、職員が当該賠償責任の対象となる場合には、これとは別に民法上の賠償責任は負わない。

❷　職員は、公務の執行に携わっていることから、公法上の賠償責任を負うことはあるものの、民事上の賠償責任を負うことは一切ない。

❸　２人以上の職員の行為によって地方自治法243条の２の２の賠償責任が発生した場合、当該職員は連帯して損害額全額の賠償責任を負う。

❹　国家賠償法１条に基づく地方公共団体の賠償責任について、地方公共団体は損害を発生させた職員に故意又は重大な過失がある場合には求償権を有するが、当該職員は、地方公共団体から求償をされた場合には、関係する罰則の適用を免れることになる。

❺　会計管理者を補助する会計職員が保管する現金を紛失した場合、地方自治法243条の２の２の賠償責任を負うことになるが、この場合、二重処罰になるため、懲戒処分との併科はできない。

解説

❶　正しい。設問のとおり（地方自治法243条の２の２第14項）。

❷　誤り。職員が公務の執行に携わっているからといって、民事上の賠償責任を一切免れるわけではない。

❸　誤り。このような場合、それぞれの職分に応じ、かつ、当該行為が損害の発生の原因となった程度に応じて、それぞれ賠償責任を負う（地方自治法243条の２の２第２項）。

❹　誤り。前半は正しいが、国家賠償法に基づく賠償責任と刑罰とは趣旨目的が異なるため、求償の有無は罰則の適用に影響を与えない。

❺　誤り。前半は正しいが、地方公務員法に基づく懲戒処分と地方自治法に基づく賠償責任とは趣旨・目的が異なるため、併科は可能である。

【正解　❶】

［編者］　自治体公法研究会

――要点演習シリーズ〈地方公務員法〉の変遷――

1988年１月　『要点演習　地方自治法・地方公務員法』初版発行
1998年５月　『新要点演習　地方公務員法』初版発行（第２次改訂版まで）
2004年６月　『要点演習２　地方公務員法』初版発行（第３次改訂版まで）
2016年４月　『新要点演習　地方公務員法』初版発行（現在第２次改訂版）

新要点演習　地方公務員法　第２次改訂版　©2022年

2016年（平成28年）４月21日　初版第１刷発行
2020年（令和２年）５月30日　第１次改訂版第１刷発行
2021年（令和３年）５月19日　第１次改訂版第２刷発行
2022年（令和４年）３月１日　第２次改訂版第１刷発行

定価はカバーに表示してあります。

編　者　自治体公法研究会
発行者　大田昭一
発行所　公職研
〒101-0051
東京都千代田区神田神保町２丁目20番地
TEL　03-3230-3701（代表）
03-3230-3703（編集）
FAX　03-3230-1170
振替東京　6-154568
ISBN978-4-87526-417-0 C3031　https://www.koshokuken.co.jp/

落丁・乱丁はお取り替え致します。　Printed in Japan　印刷　日本ハイコム㈱
ISO14001取得工場で印刷しました。